fit for the flute

Fingertechnik

von Barbara Gisler-Haase

© Copyright 1999 by Universal Edition A.G., Wien

Hallo Flötenfreund!

Herzlich willkommen bei „Fit for the Flute Band 1 - Fingertechnik".

In diesem Heft findest du Fingerübungen, Tonleitern, Dreiklangszerlegungen und vieles mehr. Technische Übungen können auch Spaß machen, besonders wenn dich dabei die Perkussionsinstrumente auf der CD begleiten.

Du wirst im Laufe der Zeit viele schöne Stücke der Flötenliteratur spielen - dieses Buch soll dir helfen, dafür eine brillante Fingertechnik zu entwickeln.

Liebe Kolleginnen und Kollegen!

Die Reihe „Fit for the Flute" ist im Anschluss an die UE Flötenschule „Magic Flute" gedacht. Ziel ist es, die bereits erlernten technischen Fähigkeiten zu erweitern. Zusätzlich entwickelt das Zusammenspiel mit den Perkussionsinstrumenten auf der CD eine verfeinerte Wahrnehmung von Puls, Zählzeit und Schwerpunkt.

Bei der Konzeption der einzelnen Übungen wurde einerseits auf die kindliche Atemkapazität geachtet, andererseits ist auch für fortgeschrittene Schüler durch schnelle Tempi eine anspruchsvolle Spielsituation geschaffen.

Viel Spaß mit „Fit for the Flute" !

Barbara Gisler-Haase

Meisterhaft geübt	4
1 Sekundschritte	8
2 Terzen	9
3 Quarten	10
4 Skalen im Tonraum einer Quinte	10
5 Skalen im Tonraum einer Oktave	12
6 Molltonleitern	16
7 Terzengänge	23
Kinesiologische Übungsstunde	24
8 Quartengänge	26
9 Dreiklangszerlegungen	28
10 Septakkorde	32
Mentales Üben	34
11 Chromatik	36
Fingergymnastik	38
12 Übungen für Auge und Ohr	39
13 Ganztonleitern und Pentatonik	42
14 Triller	46

MEISTERHAFT GEÜBT

Wie übe ich mit der CD

Auf der CD hörst du rhythmische Grundmuster für

Übungen im $\frac{4}{4}$ Takt

Übungen im $\frac{6}{4}$ Takt

Jede der beiden Taktarten wurde in fünf verschiedenen Tempi eingespielt.

Die Begleitung auf den CD-tracks ist auf die längste Übung abgestimmt. Bei kürzeren Übungen kann gestoppt oder der verbleibende Rest für Wiederholungen schwieriger Teile genützt werden. In beiden Taktarten werden jeweils vier Viertelschläge als Einzähler vorgegeben. Fortgeschrittene können auch in der doppelten Zählzeit üben.

Bevor du mit der CD spielst, höre dir die betreffenden Tracks gut an. Welche Klänge vermitteln dir Schwerpunkte, Auftakte oder durchlaufende Bewegungen?

Könnte man die Zählzeit auch verschieben und trotzdem sinnvoll dazuspielen?

Versuche zu den Tracks laut zu zählen. Wenn du damit vertraut bist, singe die Übung, bevor du sie spielst.

Übersicht der CD-Tracks

Klangbeispiele

Track 1   Intro

Track 2   Klangbeispiele zu den Kapiteln 1-3

Track 3   Klangbeispiele zu den Kapiteln 4-5

Track 4   Klangbeispiele zu den Kapiteln 6-8

Track 5   Klangbeispiele zu den Kapiteln 9-10

Track 6   Klangbeispiele zu Kapitel 11

Track 7   Klangbeispiele zu Kapitel 12

Track 8   Klangbeispiele zu Kapitel 13

Klangbeispiele zu „Meisterhaft geübt"

Track 9   Rhythmisierungen

Track 10 Rhythmische Verschiebungen

MEISTERHAFT GEÜBT

Tracks zum Mitspielen

4/4 Takt mit Sechzehntelnoten
track 11　♩ = 58
track 12　♩ = 66
track 13　♩ = 76
track 14　♩ = 88
track 15　♩ = 100

6/4 Takt mit Sechzehntelnoten
track 16　♩ = 58
track 17　♩ = 66
track 18　♩ = 76
track 19　♩ = 88
track 20　♩ = 100

6/4 Takt mit Triolen
track 21　♩ = 76
track 22　♩ = 88
track 23　♩ = 100
track 24　♩ = 112
track 25　♩ = 126

4/4 Takt mit Triolen
track 26　♩ = 76
track 27　♩ = 88
track 28　♩ = 100
track 29　♩ = 112
track 30　♩ = 126

track 31 Übungen für Auge und Ohr
♩ = 76

track 32 Übungen für Auge und Ohr
♩ = 76

Halte dich an folgende Übestrategie

Übe zuerst langsam und steigere allmählich das Tempo.

Spiele Skalen und Akkordzerlegungen in jenem Tonraum, den du gut beherrschst.
Erweitere den Tonraum mit den Übungen aus den Kapiteln 1-3.

Überprüfe immer wieder, ob du die Flöte richtig hältst.

Kontrolliere die Bewegungsabläufe und die Position deiner Finger im Spiegel.

Achte stets auf eine gute Klangqualität.

Entscheide dich für eine bestimmte Dynamik.

Lass deinen Atem gleichmäßig fließen.

Spiele die Triolen- und Sechzehntelbewegungen ohne Vibrato.

MEISTERHAFT GEÜBT

Spiele anfangs nicht die ganze Übung, sondern wiederhole einzelne Takte oder Taktgruppen. Übe in verschiedenen Tonarten und mit wechselnder Artikulation. Es ist sinnvoll, die Auswahl an jene Stücke anzupassen, die du gerade spielst.

Übungsarten

Rhythmisierungen

Übe auch ohne Cd und steigere das Tempo langsam. Spiele immer wieder mit Metronom und verwende verschiedene Rhythmisierungen.

Bei Übung e) verschiebe die Haltenote auch an die 2., 3. und 4. Position.

Die Bewegungen der Finger sollen klein und präzise sein. Die Finger dürfen nicht drücken oder kneten, denn jedes Nachdrücken auf der Klappe blockiert die nächste Bewegung.

MEISTERHAFT GEÜBT

Wenn du die Übungen in mehreren Varianten beherrschst, spiele sie mit den folgenden rhythmischen Verschiebungen. Sprich die Übungen zuerst und klatsche dazu.

CD-TRACK 10

Der erste Übungsblock beschäftigt sich ausschließlich mit dem Wechsel zweier benachbarter Töne im diatonischen System. Ich bezeichne diesen Abschnitt als „ABC der Fingertechnik". Diese Übungen bilden die Basis für eine gute Technik.

Einige Griffwechsel sind im Tempo nur schwer oder gar nicht auszuführen. In diesen Fällen ist es notwendig, in die Achtel- oder Triolenbewegung zu wechseln. Auch Griffwechsel, bei denen du kleine Ungenauigkeiten feststellst - Unregelmäßigkeiten oder Zwischentöne - solltest du auf diese Art üben.

Zur Erhöhung der Schwierigkeit kannst du die jeweils ersten Takthälften vieler Übungen zusammenhängen. Spiele solange dein Atem reicht, z.B.:

Variante 3

SEKUNDSCHRITTE

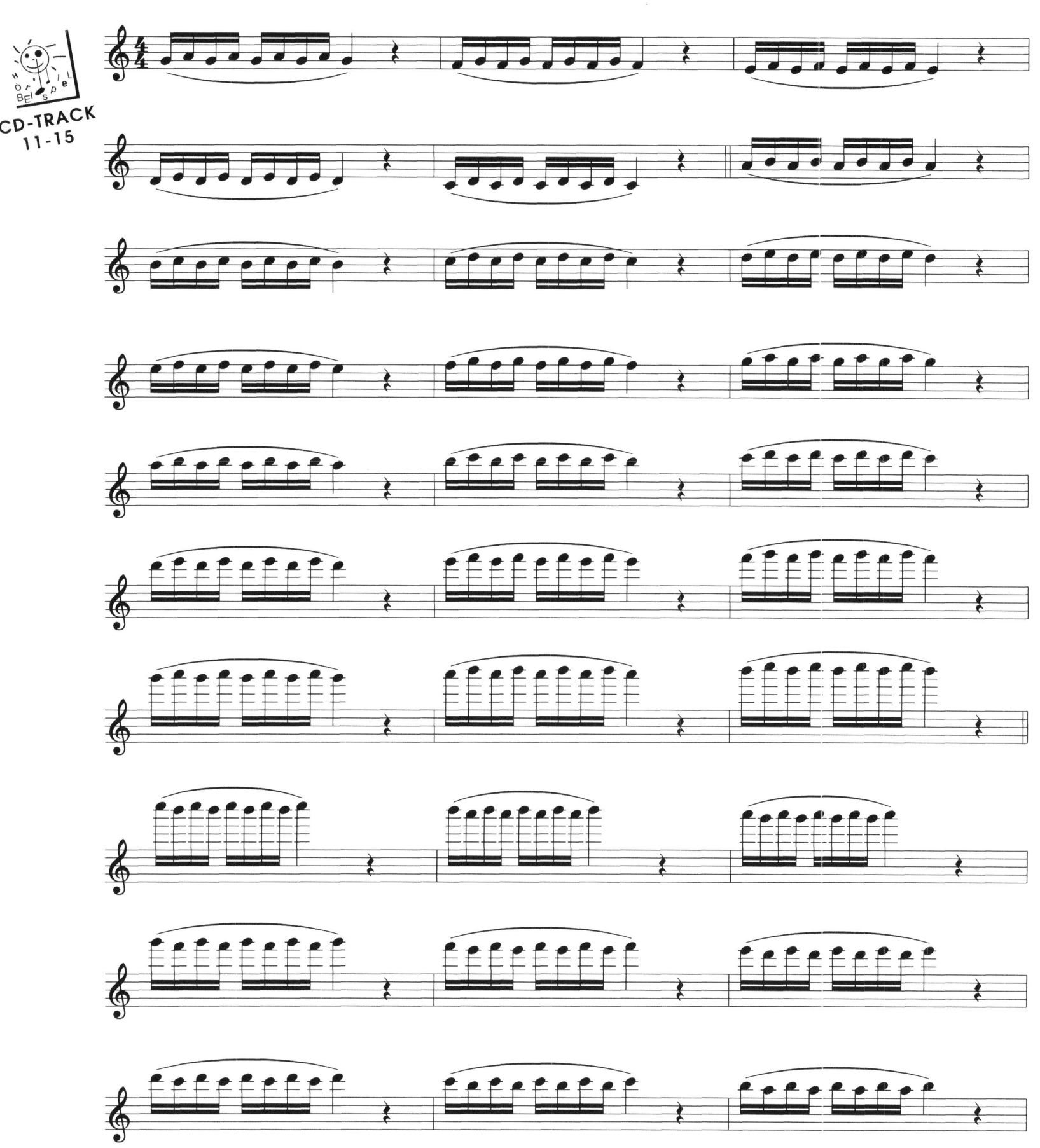

SEKUNDSCHRITTE

TERZEN

Die Übungen mit Terzen und Quarten sind nach dem Muster der Sekundschritte auszuführen. Wende wieder alle Übungsarten an.

QUARTEN

SKALEN IM TONRAUM EINER QUINTE

Übe diese Skalen in verschiedenen Tonarten und mit wechselnder Artikulation. Du kannst die entsprechenden Tonarten entweder mit dem Grundton beginnen (G-Dur mit g') oder aber auch mit c' unter Verwendung der jeweiligen Tonart-Vorzeichen.

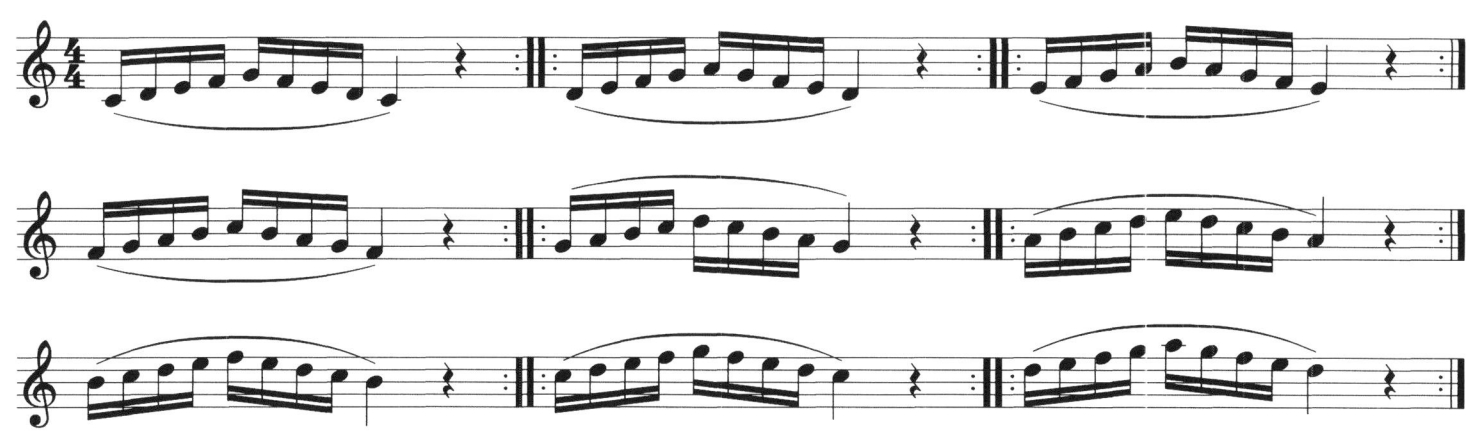

SKALEN IM TONRAUM EINER QUINTE

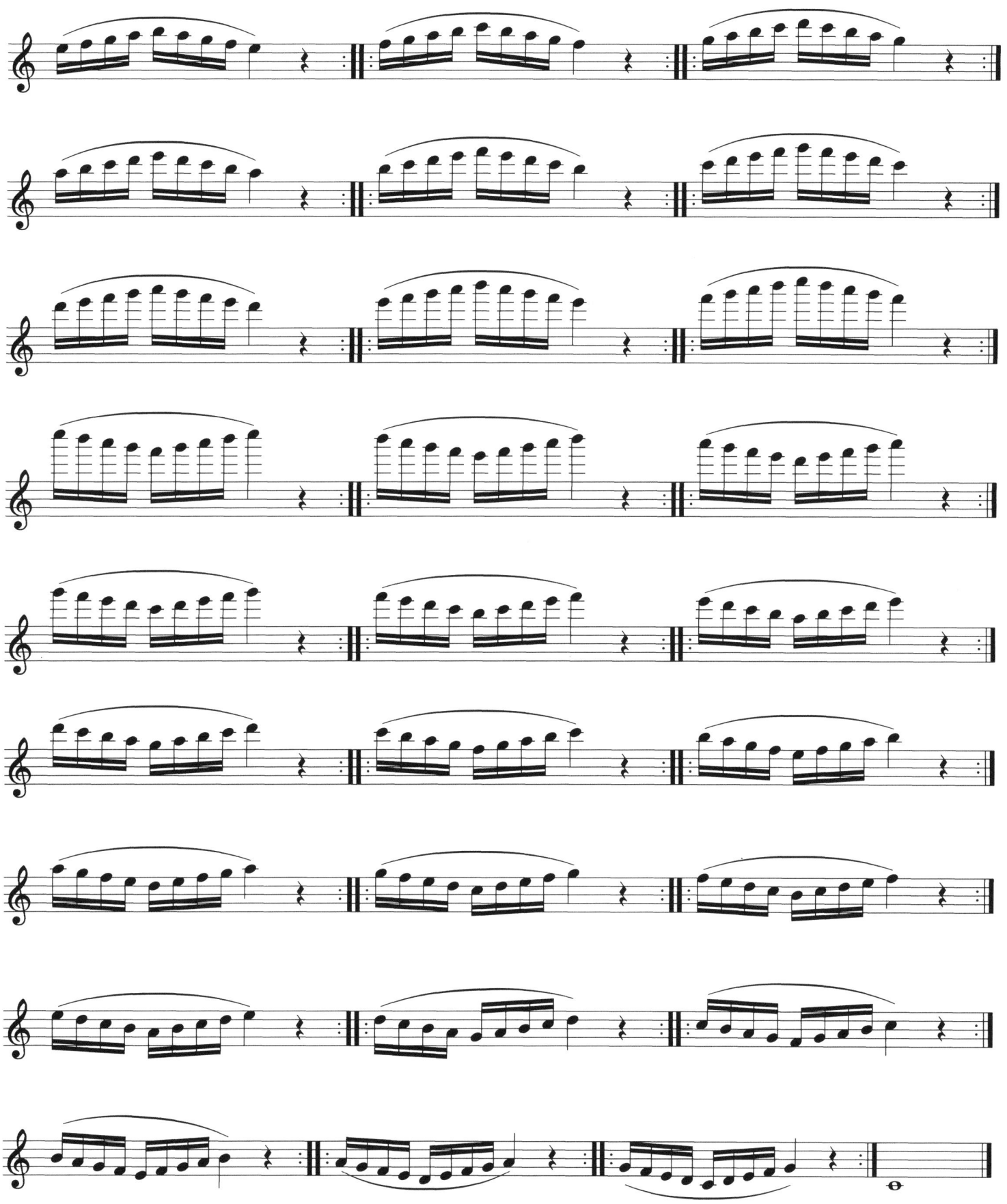

SKALEN IM TONRAUM EINER OKTAVE

A

SKALEN IM TONRAUM EINER OKTAVE

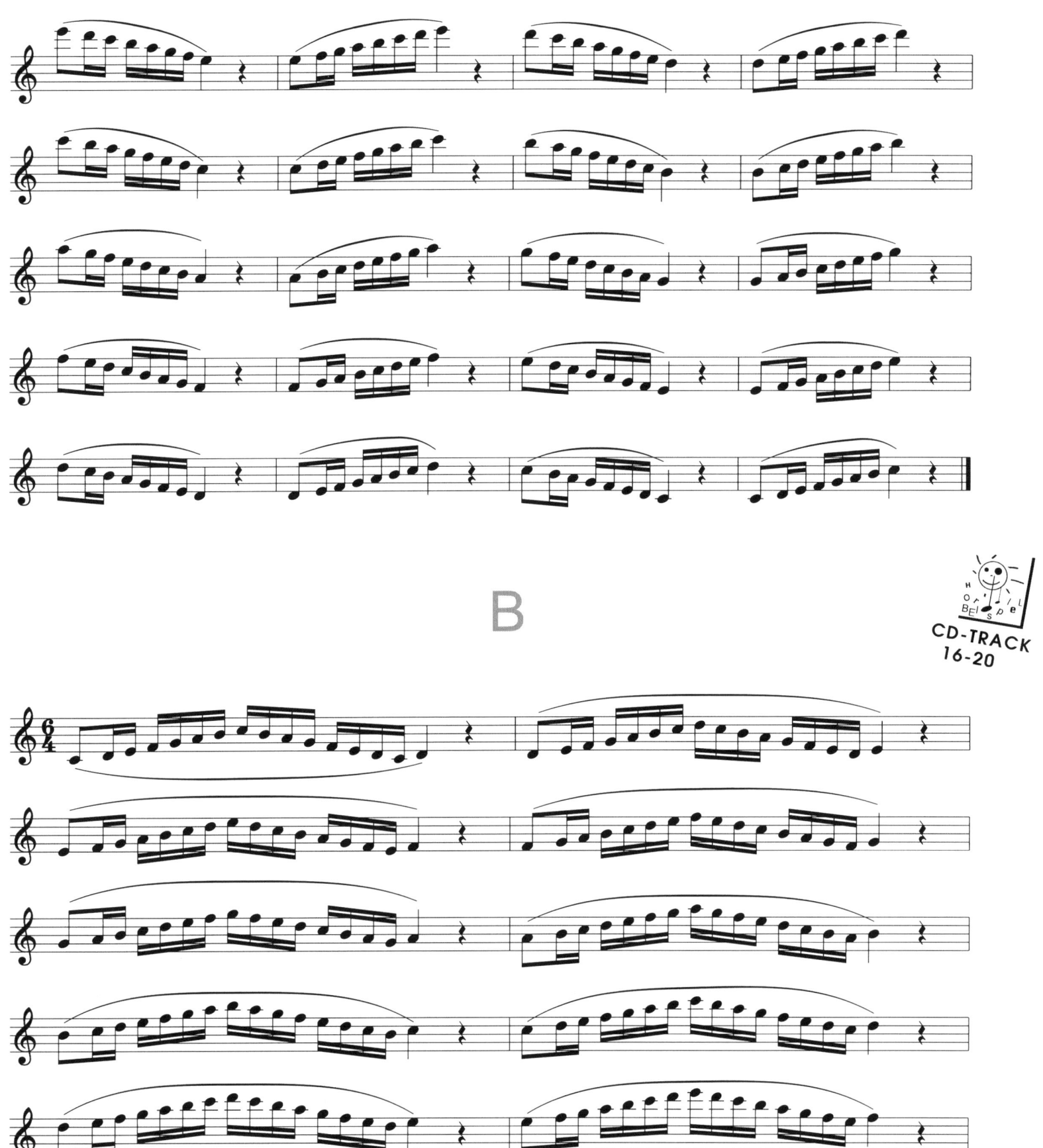

B

CD-TRACK 16-20

SKALEN IM TONRAUM EINER OKTAVE

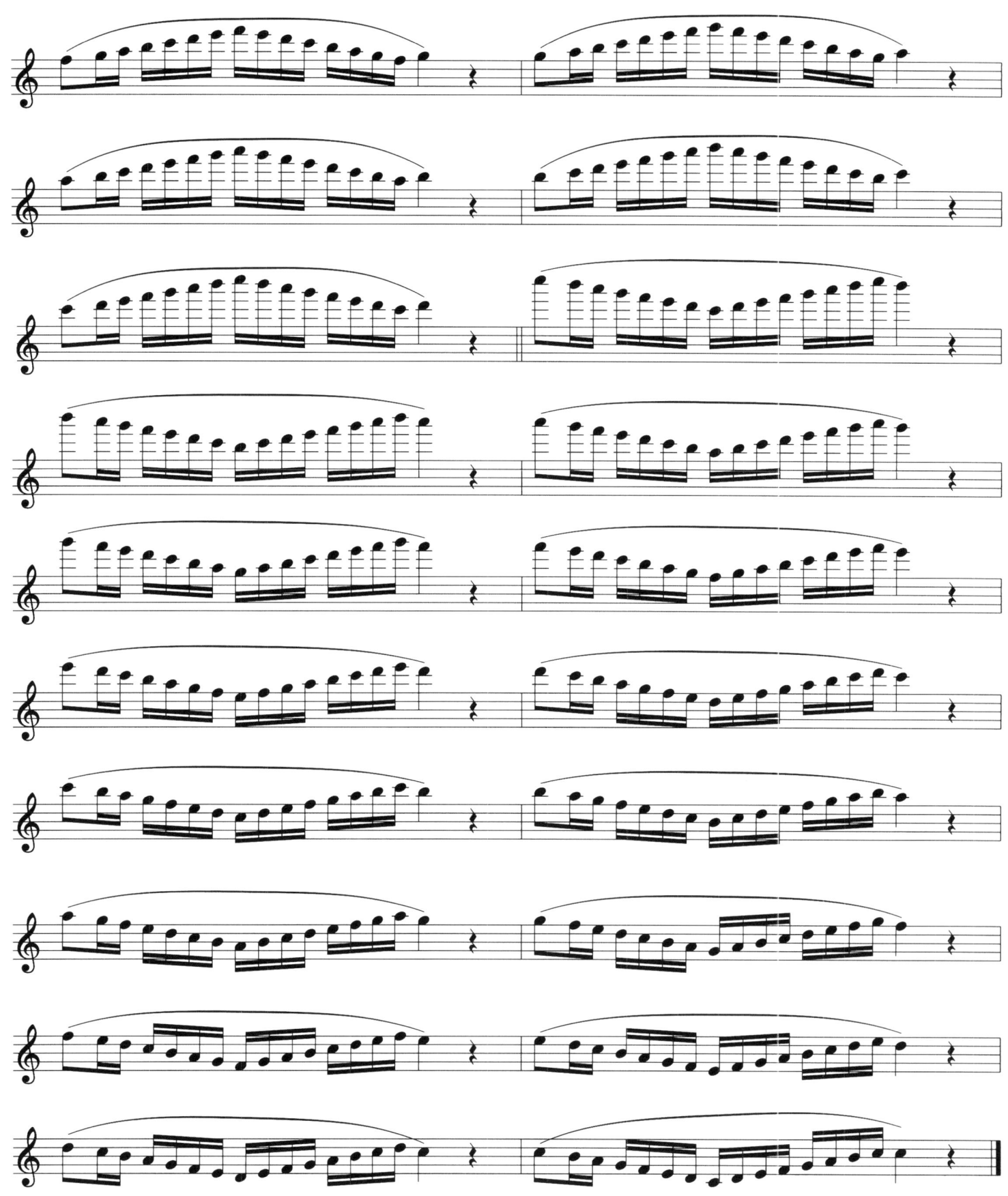

SKALEN IM TONRAUM EINER OKTAVE

C

MOLLTONLEITERN

Als Vorübung spiele auch die Übungen der Kapitel 1-3 mit den Vorzeichen der Molltonleitern.

Der Abwärtsgang der melodischen Molltonleiter als natürliches Moll entspricht der traditionellen Harmonielehre. Heutige Publikationen vertreten häufig die Meinung, dass die melodische Molltonleiter abwärts mit den gleichen Vorzeichen wie aufwärts geführt werden sollte.

a-Moll melodisch

oder:

a-Moll harmonisch

e-Moll melodisch

MOLLTONLEITERN

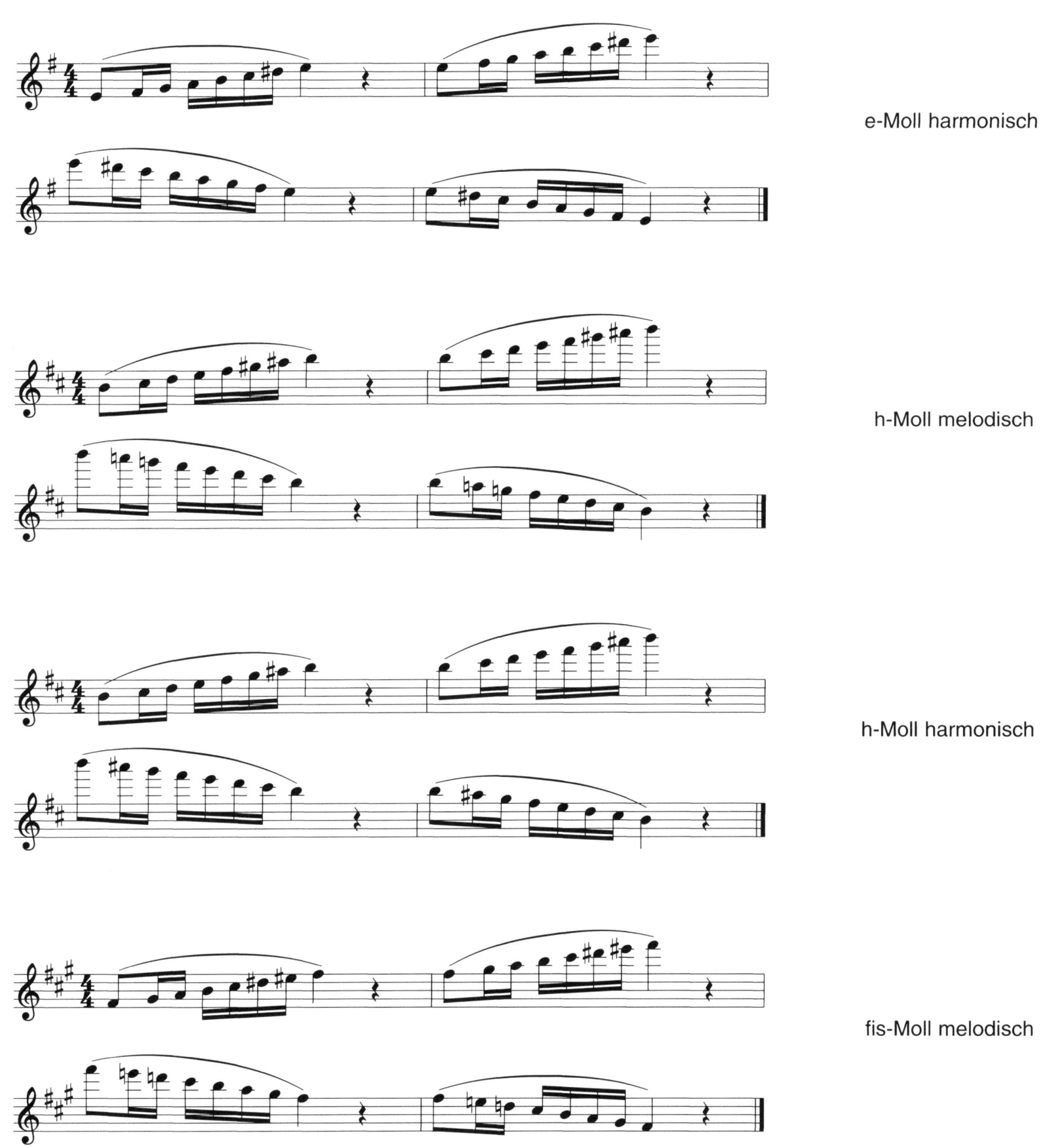

e-Moll harmonisch

h-Moll melodisch

h-Moll harmonisch

fis-Moll melodisch

MOLLTONLEITERN

fis-Moll harmonisch

cis-Moll melodisch

cis-Moll harmonisch

gis-Moll melodisch

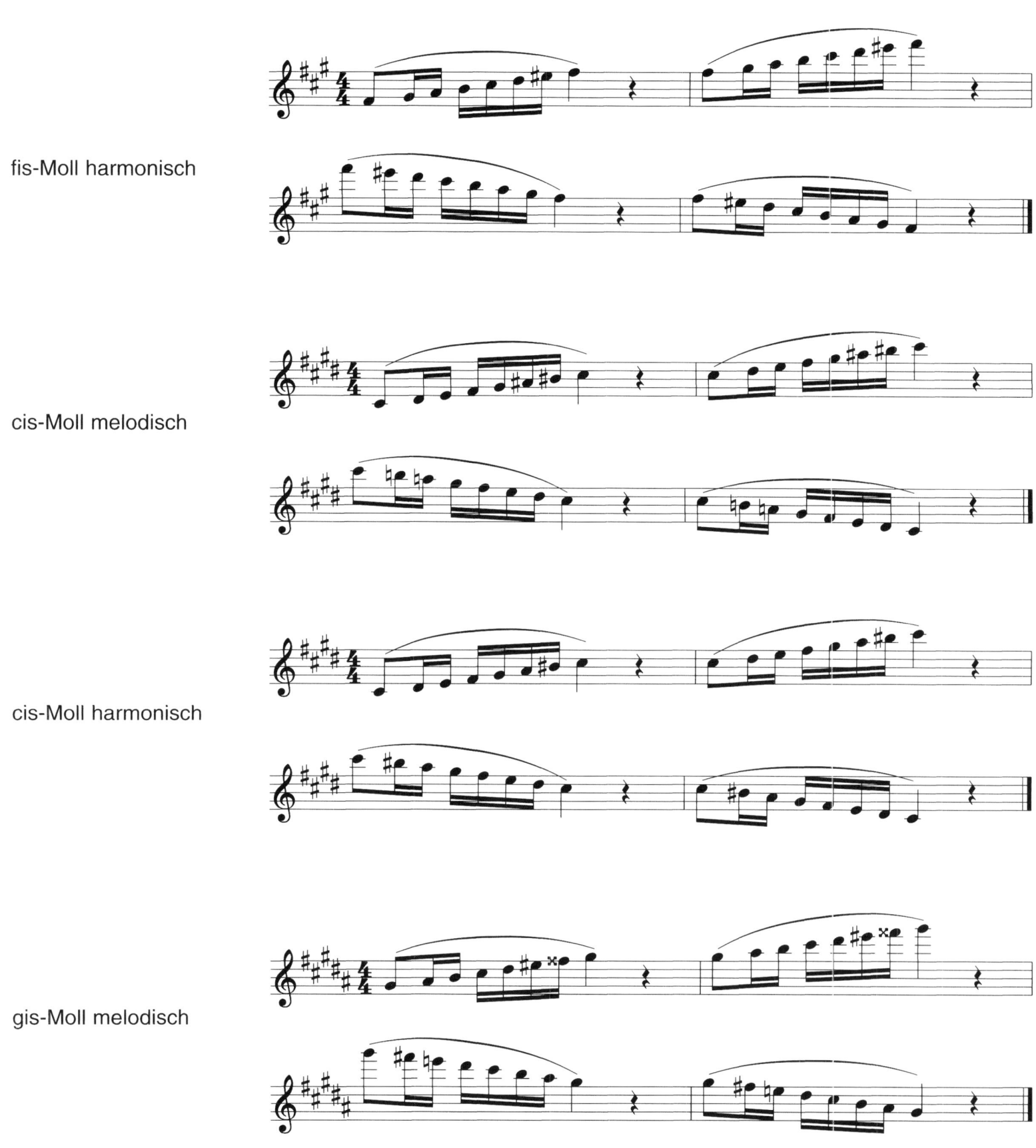

MOLLTONLEITERN

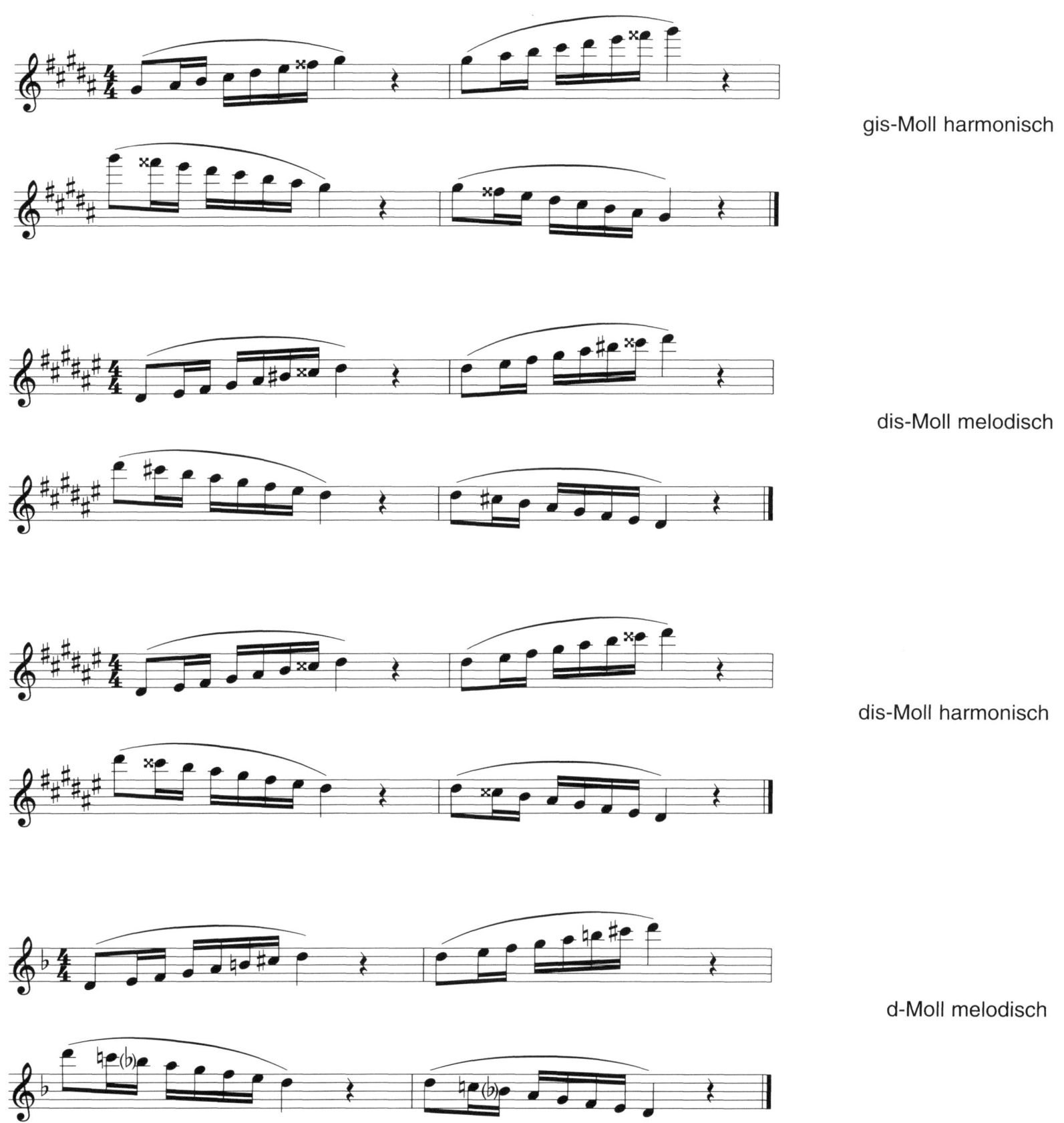

gis-Moll harmonisch

dis-Moll melodisch

dis-Moll harmonisch

d-Moll melodisch

MOLLTONLEITERN

d-Moll harmonisch

g-Moll melodisch

g-Moll harmonisch

c-Moll melodisch

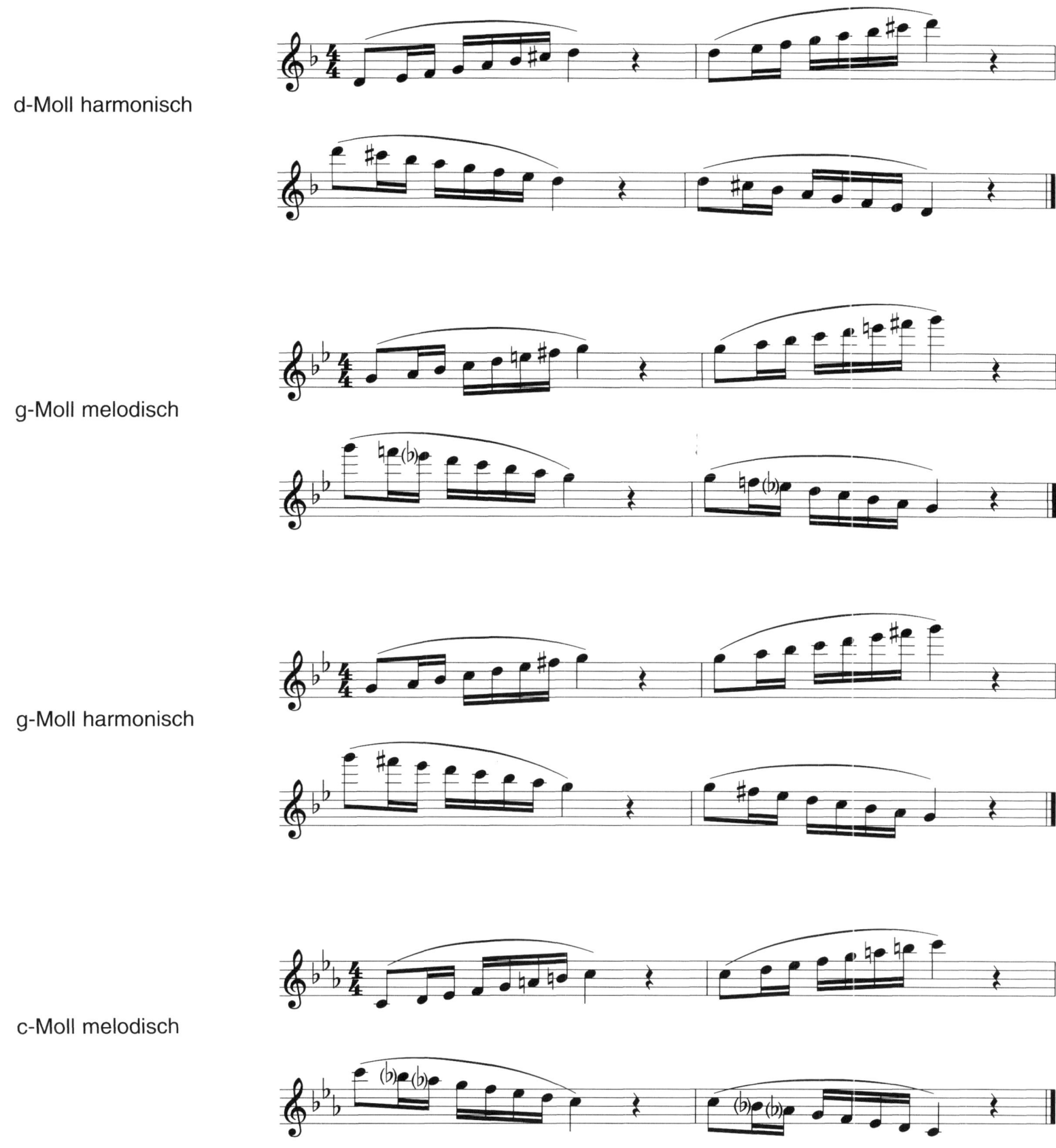

MOLLTONLEITERN

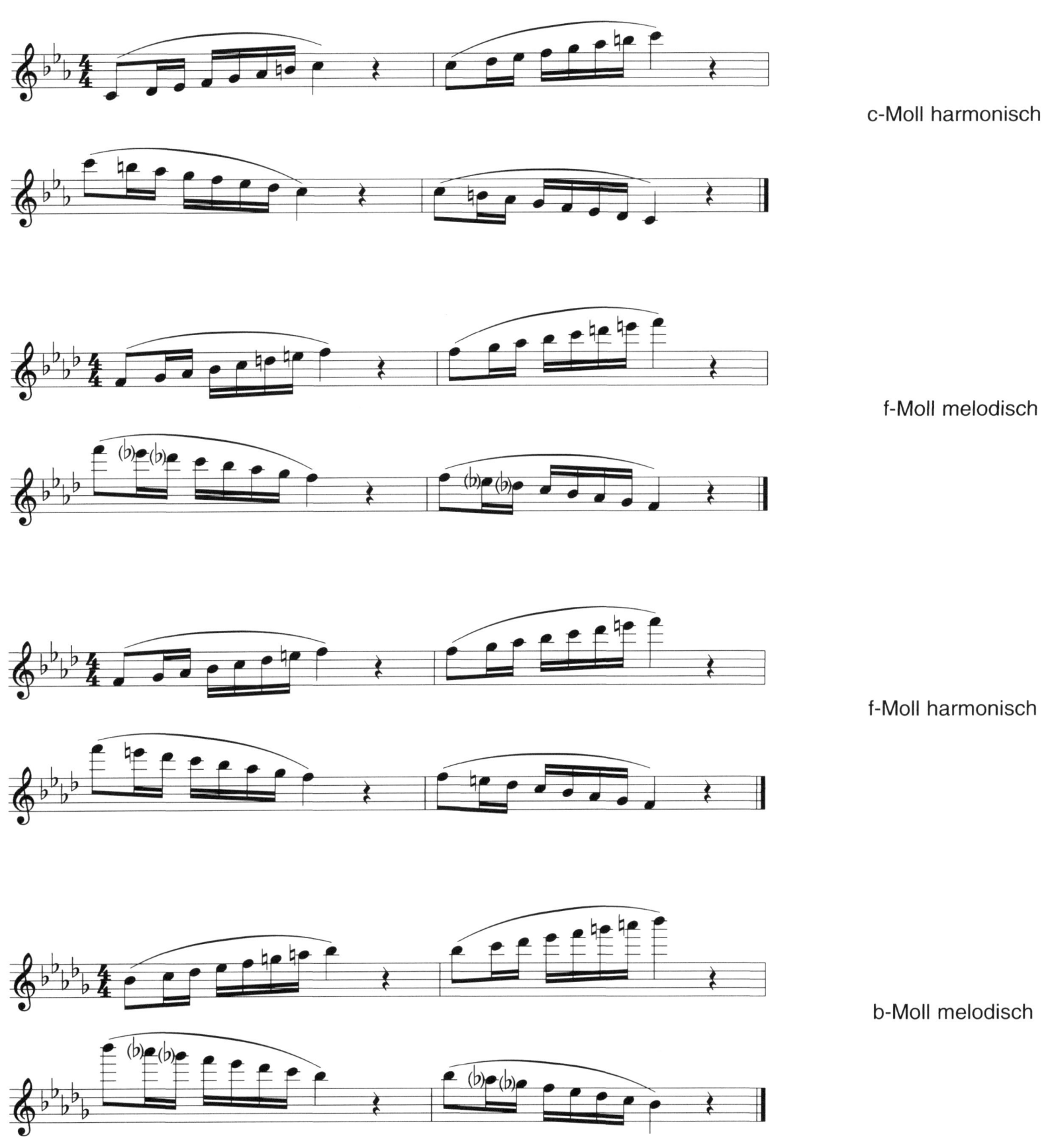

c-Moll harmonisch

f-Moll melodisch

f-Moll harmonisch

b-Moll melodisch

MOLLTONLEITERN

b-Moll harmonisch

es-Moll melodisch

es-Moll harmonisch

Zur Perfektionierung spiele auch die Übungen der Kapitel 4, 5, 7 und 8 mit den Vorzeichen der Molltonleitern.

TERZENGÄNGE

KINESIOLOGISCHE ÜBUNGSSTUNDE

Die „Angewandte Kinesiologie" wurde Anfang der 60er-Jahre als ganzheitliche Heilmethode für Körper, Geist und Seele entwickelt. Sie gehört zur Bioenergetik, die sich mit den Energiekreisläufen im menschlichen Organismus befasst.

Auf dem Gebiet der „Brain-Gym" (= Gehirngymnastik) und der „Musikkinesiologie" haben Fachleute in den letzten Jahren Übungen entwickelt, die beide Gehirnhälften zu optimaler Zusammenarbeit aktivieren. Durch bestimmte Bewegungen und Berührungen werden die im Körper verborgenen Fähigkeiten jederzeit verfügbar gemacht. Wenn du Müdigkeit, Konzentrationsschwierigkeiten oder Unlust verspürst und dich mit Energie aufladen möchtest, wende einige der folgenden Übungen an:

1 Trinke immer wieder ein Glas Wasser (ohne Kohlensäure!). Klares Wasser reinigt den Körper und klärt die Gedanken.

2. Aktiviere deine Gehirnknöpfe: Halte bei dieser Übung mit einer Hand den Bauchnabel. Reibe mit den Fingern der anderen Hand die beiden weichen Stellen rechts und links neben dem Brustbein gleich unterhalb der Schlüsselbeine.

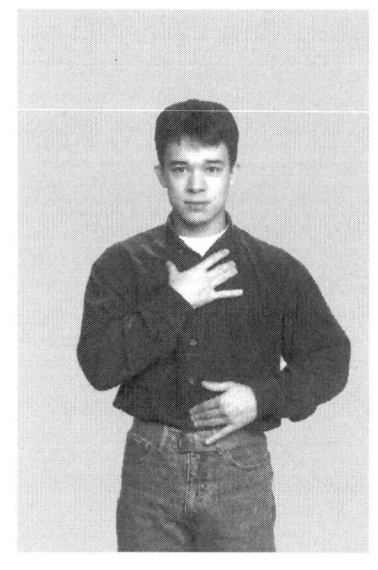

3. Aktiviere deine Raumknöpfe: Lege einen Finger auf die Stelle oberhalb der Oberlippe, die andere Hand auf das Steißbein. Halte die Punkte eine Minute lang und atme dabei tief. Lass beim Einatmen die Energie an der Wirbelsäule hinauffließen.

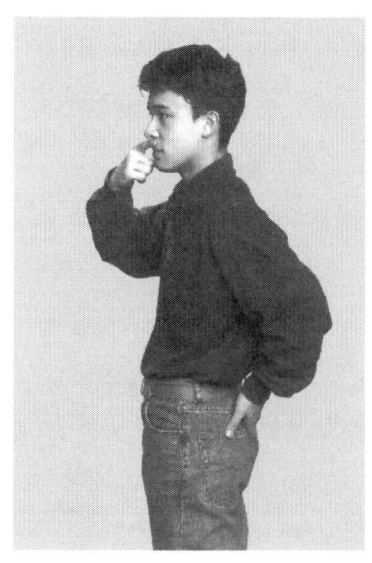

KINESIOLOGISCHE ÜBUNGSSTUNDE

4. Klopfe deine Thymusdrüse eine Zeit lang sanft mit zusammengehaltenen Fingerspitzen.

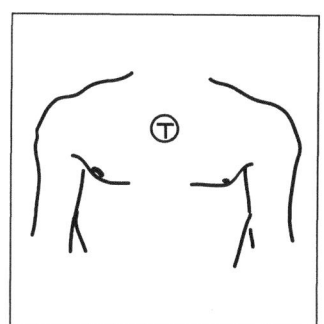

5. Ziehe deine Ohren sanft nach hinten und falte sie aus; beginne ganz oben und massiere entlang der Rundung bis zum Ohrläppchen.

6. Die liegende Acht: Stelle dich aufrecht hin, beschreibe mit einer Hand oder einem Finger in Augenhöhe eine liegende Acht und singe dazu ein Musikstück. Bewege dabei nicht den Kopf, sondern folge der Acht nur mit den Augen!

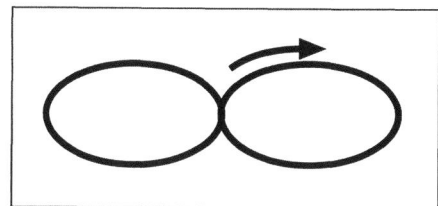

7. Überkreuzgehen: Lege eine lange Schnur auf den Boden oder denke dir eine gerade Linie. Während du Passagen deines Stückes spielst oder singst, überschreite in weitem Bogen elastisch die Linie.

Koordiniere deine Bewegungen mit dem Puls der Musik.

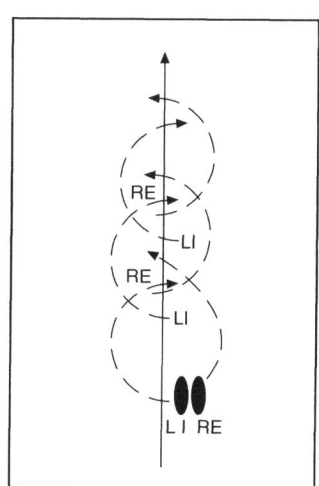

Literaturhinweise:
Dennison: „Brain-Gym-Lehrerhandbuch", Freiburg, 1991
Sonnenschmidt / Knauss: „Musikkinesiologie", Freiburg, 1995
„Kreativität nach Noten", Freiburg, 1998

QUARTENGÄNGE

QUARTENGÄNGE

Übe in verschiedenen Tonarten und mit wechselnder Artikulation.

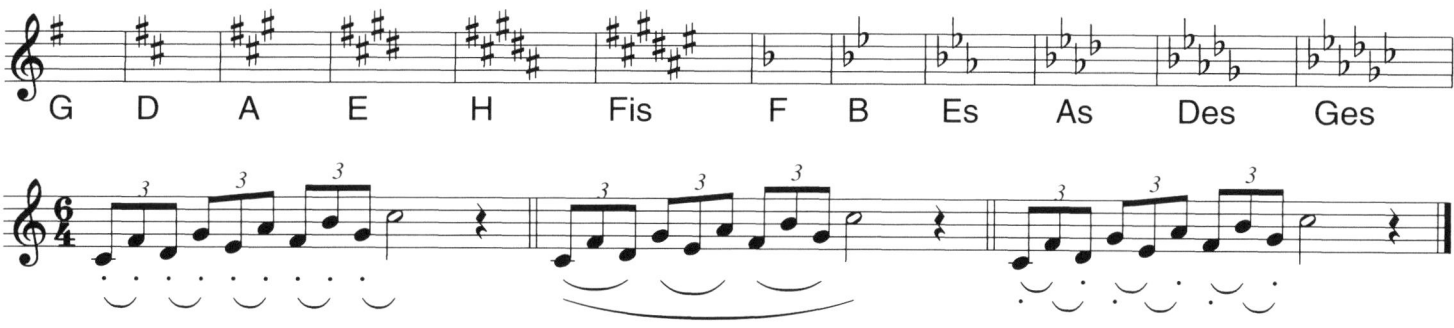

G D A E H Fis F B Es As Des Ges

Passe die Rhythmisierungen an die Triolen an.

DREIKLANGSZERLEGUNGEN

Übe mit wechselnder Artikulation und unterschiedlichen Rhythmisierungen.

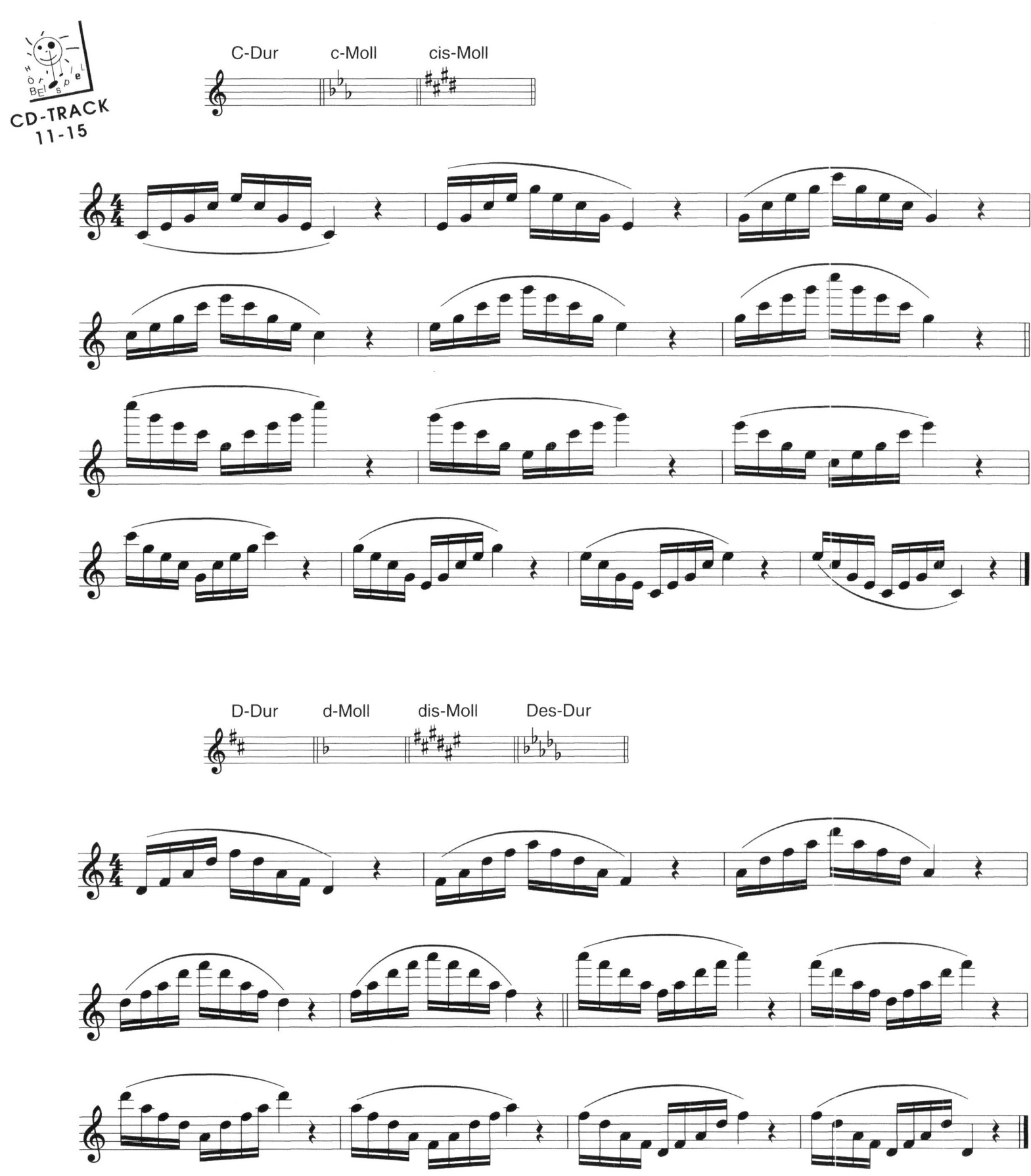

DREIKLANGSZERLEGUNGEN

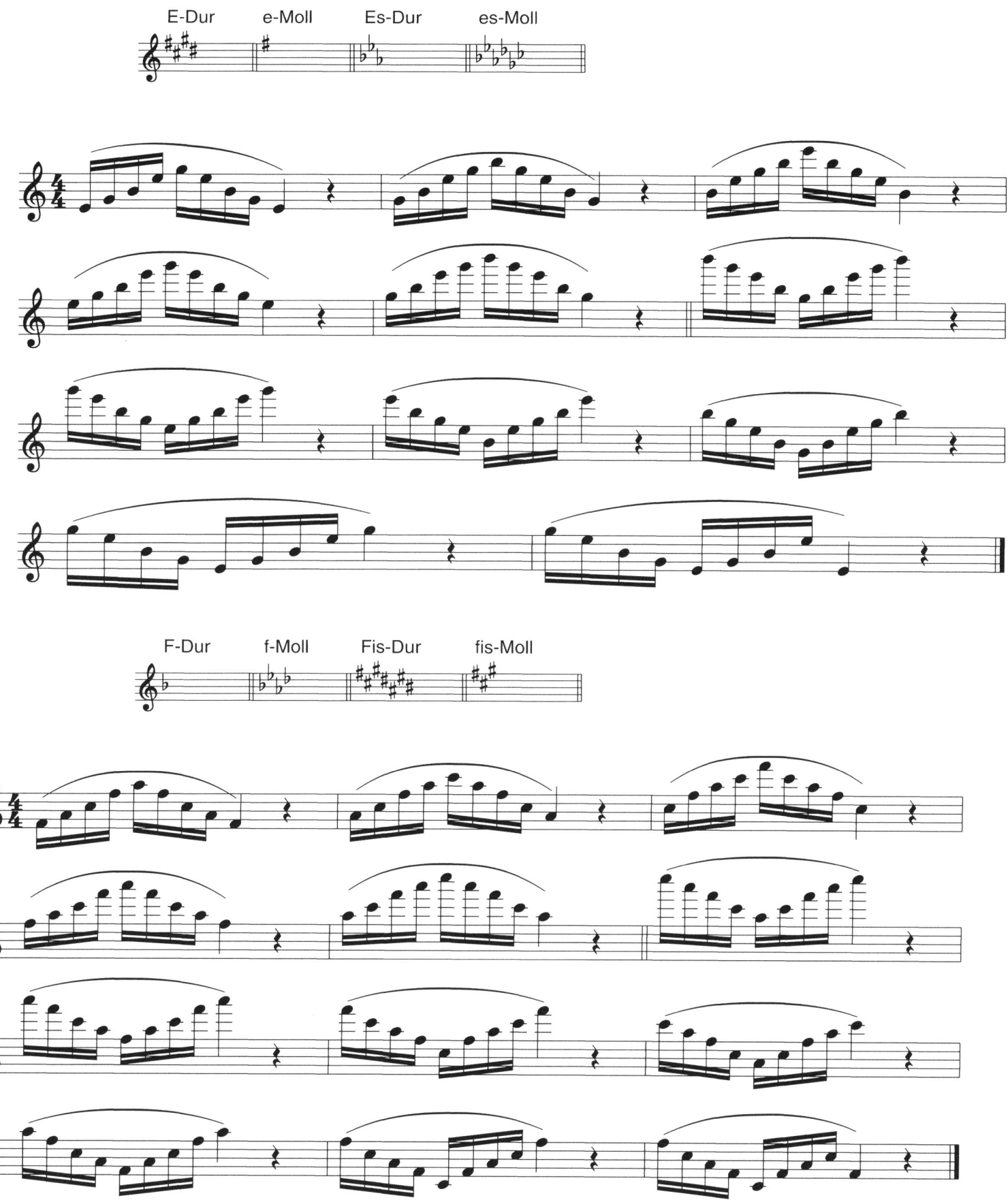

DREIKLANGSZERLEGUNGEN

DREIKLANGSZERLEGUNGEN

Kontrolliere immer wieder die Haltung deiner Finger im Spiegel.

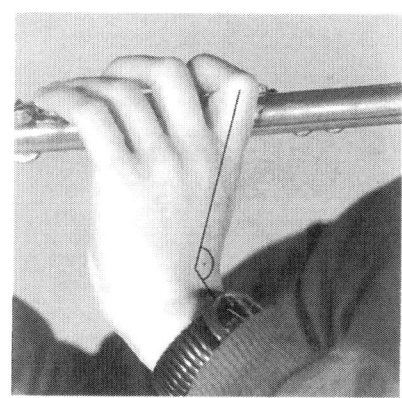
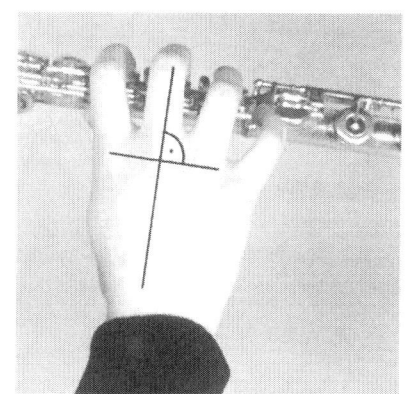

SEPTAKKORDE

Dur-Septakkorde

Verminderte Septakkorde

SEPTAKKORDE

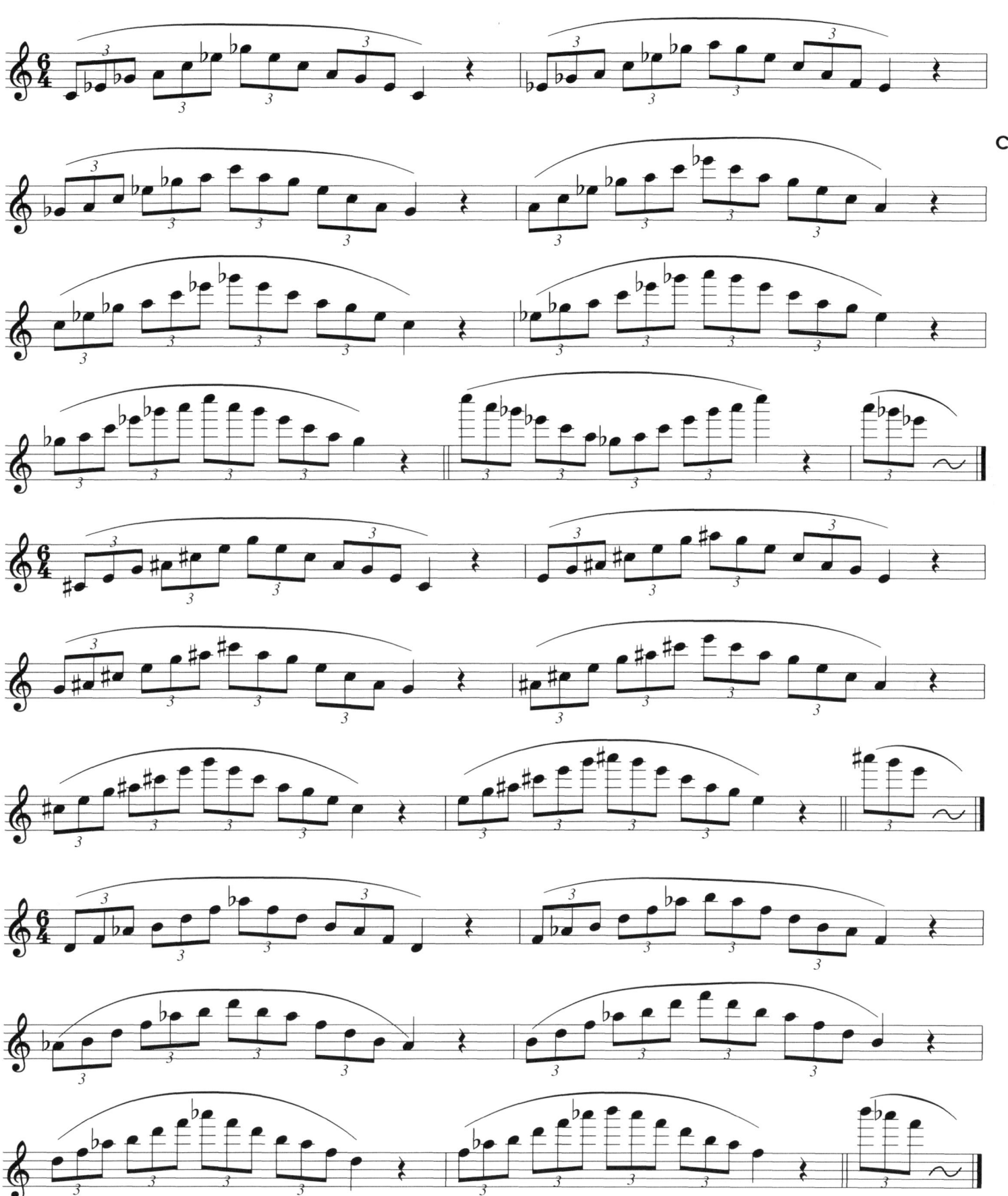

MENTALES ÜBEN

Ist es dir schon einmal passiert, dass du auf der Straße gehst und das zuvor gespielte Stück geht dir nicht mehr aus dem Kopf? Eine bestimmte Passage wiederholt sich immer wieder. Sicherlich kennst du die Bilder von Schispringern, die mit geschlossenen Augen ihren Sprung innerlich sehen - oder von Rennläufern, die in ihrer Fantasie die Strecke bis auf die Zehntelsekunde genau abfahren.

Beim mentalen Üben geschieht genau das Gleiche. Auch du kannst diese Technik für dich nützen. Nimm dir bewusst dafür Zeit und fülle gewisse Leerläufe des Alltags damit aus.

Machen wir einen Versuch:

Du nimmst die Tonfolge

Höre innerlich genau, was zu spielen ist.

Kannst du dir vorstellen, wie diese Tonfolge auf einem Klavier, auf einer Violine oder auf einer Flöte klingen würde?

Entscheide dich für die Flöte. Wähle den allerschönsten Flötenklang.

Kannst du deinen Atem fühlen, als ob du spielst?
In welcher Position befinden sich dein Unterkiefer und deine Lippen?
Wie fühlt sich dein Hals an und wie liegt die Zunge?

Nimm dir Zeit - spüre die Flöte in deinen Händen, ihr Gewicht und wie du sie hebst und hältst. Spüre den Kontakt deiner Fingerspitzen zu den Klappen.

Wieviel Spannung benötigt der Finger, um einen Bogen zu bilden, wieviel die Mittelhand - sie entscheidet, ob deine Finger die Klappenmitte treffen.

Höre wiederum innerlich die notierte Tonfolge und versuche zu sehen und zu fühlen, was du dabei tust.

Nun übe auf diese Weise erst einige Töne, dann Takte und Zeilen, letztendlich ein ganzes Stück.

Literaturhinweise:
B. Green / T. Gallwey: Der Mozart in uns, Frauenfeld, 1993
R. Klöppel: Mentales Training für Musiker, Kassel, 1996
L. Langenheim: Üben mit Köpfchen, Frankfurt, 1996

MENTALES ÜBEN

Verwende folgende Rosette als Leitfaden für das Üben. Lass deine Aufmerksamkeit im Kreis wandern. Ergänze selbst wichtige Elemente. Stell immer neue und verschiedene Verbindungen her.

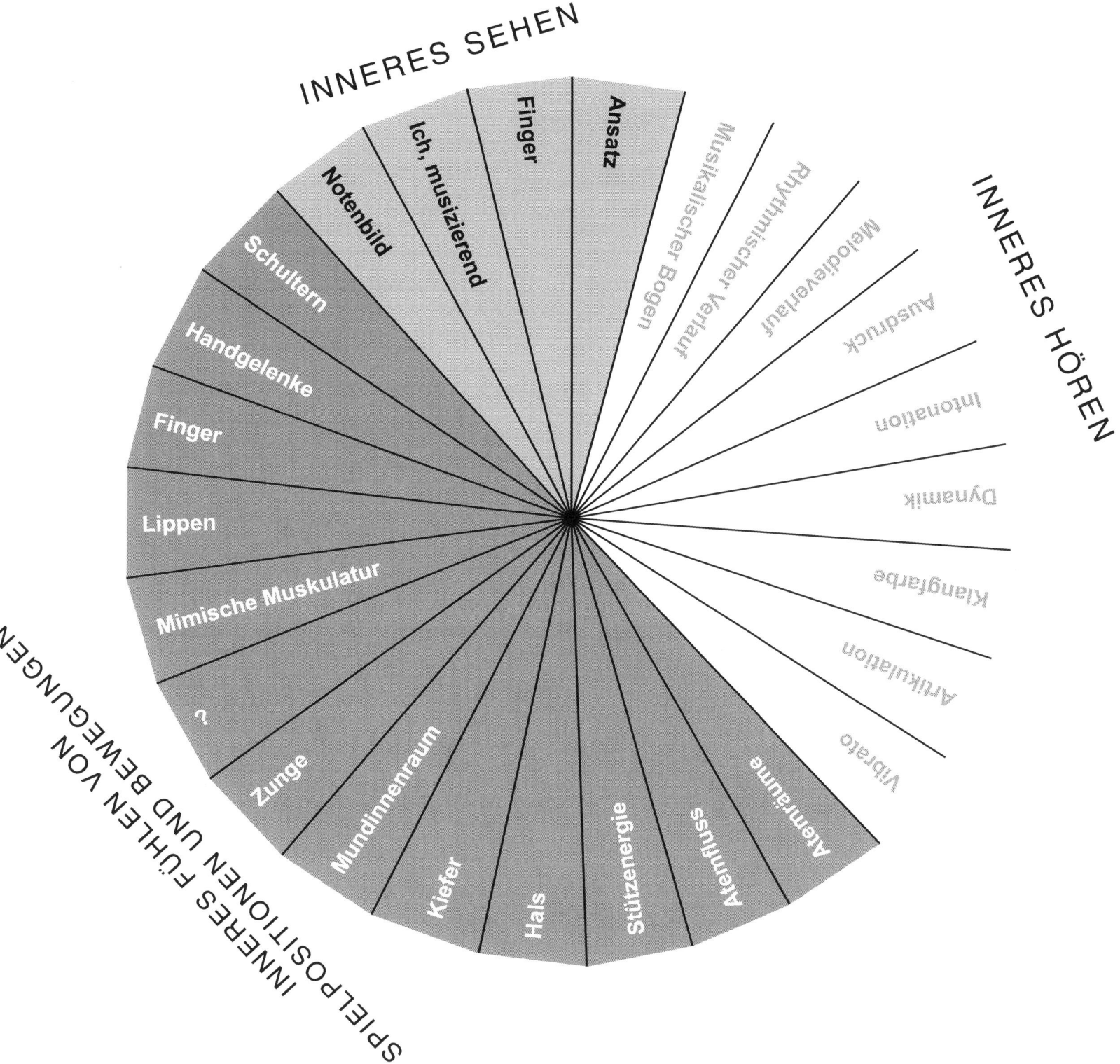

CHROMATIK

A

CD-TRACK
21-25

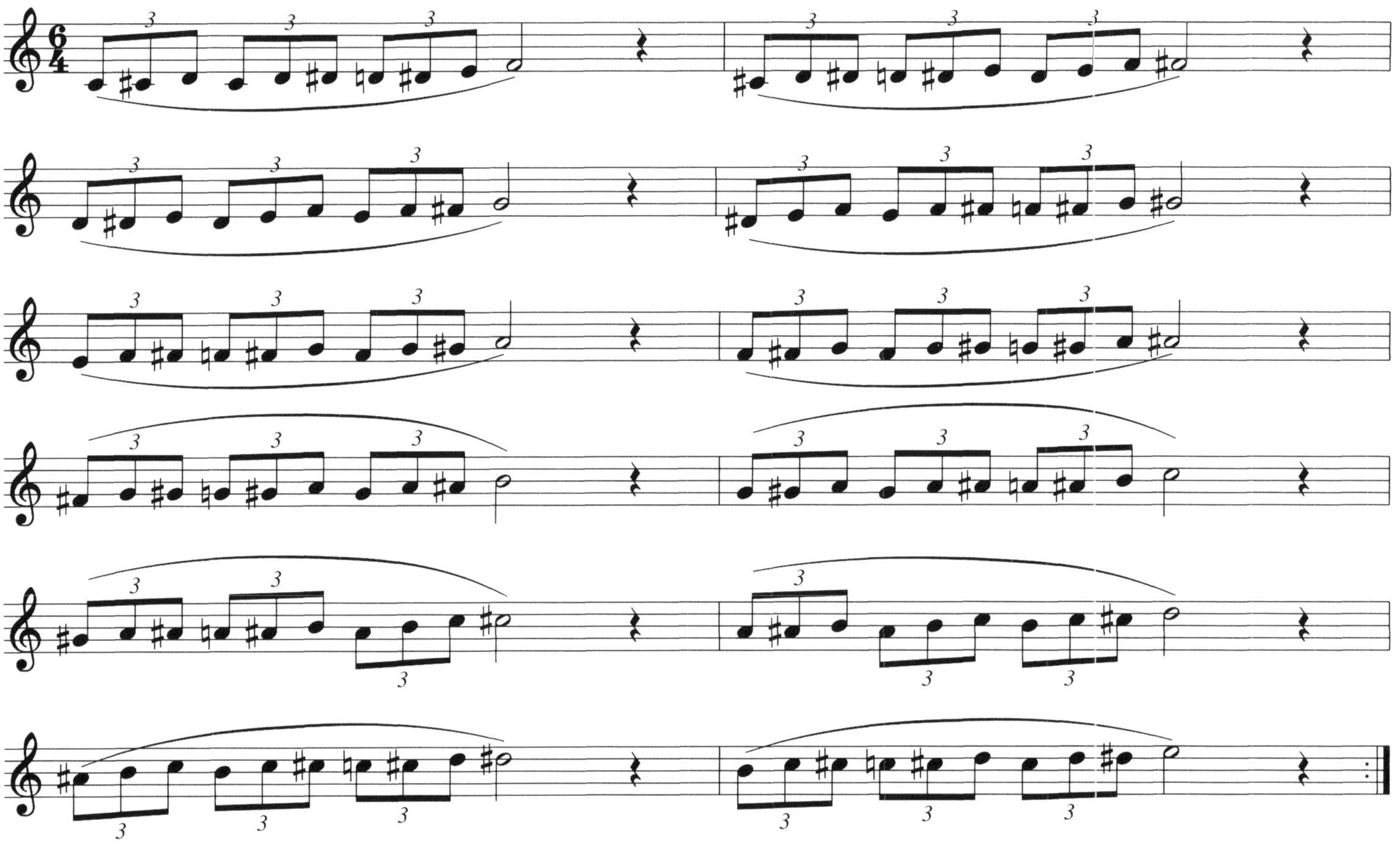

Spiele die Wiederholung eine bzw. zwei Oktaven höher

B

CD-TRACK
11-15

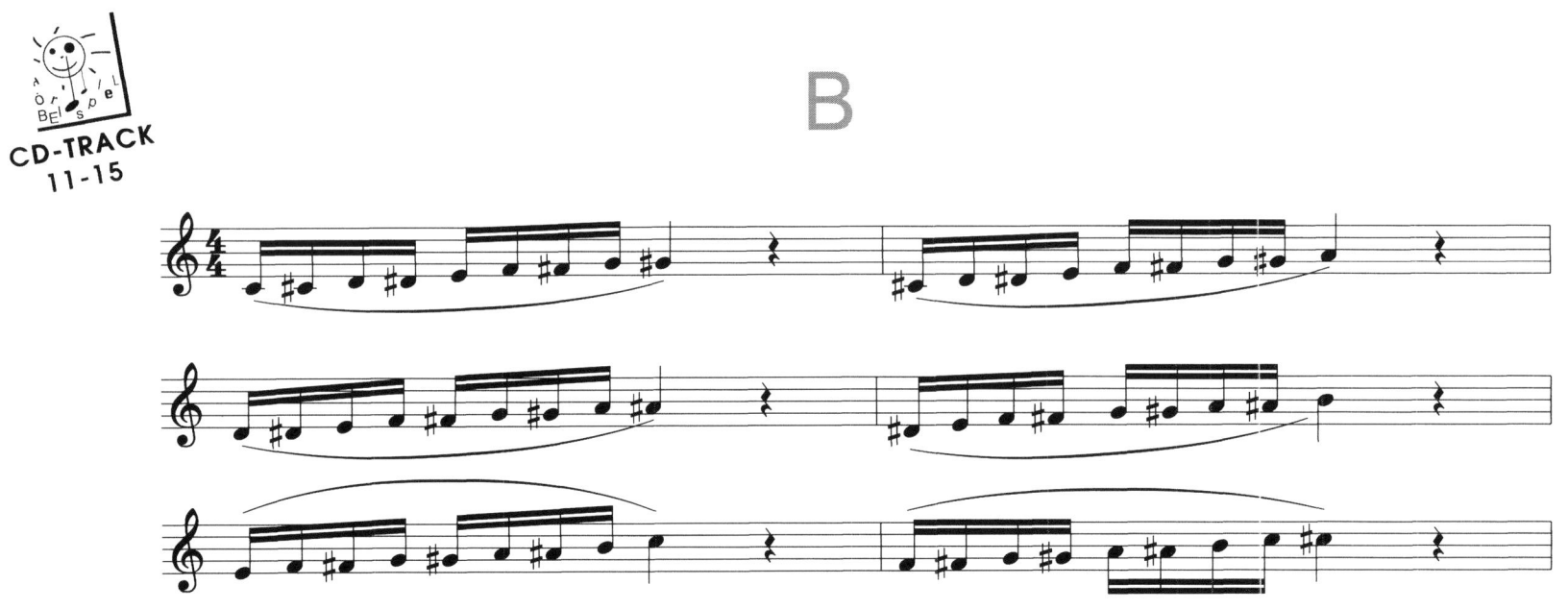

CHROMATIK

Spiele die Wiederholung eine bzw. zwei Oktaven höher

C

Spiele die Wiederholung eine bzw. zwei Oktaven höher

Wende alle Übungsarten und Artikulationen auch auf die chromatischen Tonleitern an.

FINGERGYMNASTIK

Mit diesem Trainingsprogramm kannst du die Koordination deiner Finger wesentlich verbessern. Dabei wollen wir die Finger gezielt von gewohnten und erlernten Bewegungsabläufen lösen und verbinden das mit einer mathematischen Spielerei:

9 Finger sind mit dem Öffnen und Schließen von 12-13 verschiedenen Klappen beschäftigt. Sie können abwechselnd oder gleichzeitig bewegt werden. Wenn du f'-a' spielst, bewegst du zwei Finger gleichzeitig, bei f'-gis' zwei Finger abwechselnd. Spielst du c''-d'' heben sich zwei Finger, während fünf andere die Klappen schließen. Beachte: Auch die beiden hebenden Finger sind aufgrund der Federkraft nicht in der gleichen Funktion, denn die dis-Klappe wird durch Heben geschlossen. So betrachtet, ein kompliziertes System.

Bisher sind wir von realen Griffen ausgegangen. Du sollst aber auch frei erfundene Kombinationen trainieren. Bewege beispielsweise beide Zeigefinger abwechselnd. Du kannst dabei alle anderen Klappen geöffnet lassen oder ganz oder teilweise schließen. Probiere mehrere Varianten.

Weißt du, bei welchem Griffwechsel die beiden Zeigefinger so arbeiten? Zum Beispiel bei g'''-a''' Achte bei dieser Kombination auch auf Daumen und Ringfinger der linken Hand.

Du kannst also reale Griffwechsel in ihre Einzelbewegungen zerlegen und daraus neue Kombinationen entwickeln. Dieses Fingertraining fördert bereits nach kurzer Zeit die Unabhängigkeit deiner Finger so sehr, dass du große Fortschritte machen wirst.

Noch einige Beispiele:

linke Hand:	rechte Hand:
3 gegen 2+4	2+3 gegen 4
1 gegen 4	3 gegen 2+4
2 gegen 5	2+4 gegen 5

Übe sowohl stumm, das heißt mit abgesetzter Flöte, als auch mit Tongebung. Teilweise erzielst du dabei interessante Klangveränderungen, zum Beispiel Mikrointervalle. Vielleicht begegnest du ihnen wieder in Stücken der Avantgarde oder sie inspirieren dich zu eigenen Kompositionen.

ÜBUNGEN FÜR AUGE UND OHR

CD-TRACK 31-32

Mit den folgenden Übungen kannst du sowohl das mentale Spielen als auch das Überkreuzgehen mit der Flöte gut ausprobieren

Auf track 31 und 32 hörst du 8x4 Takte. Wenn du die Übung länger spielen willst, verwende die Repeat-Taste deines CD-Players.

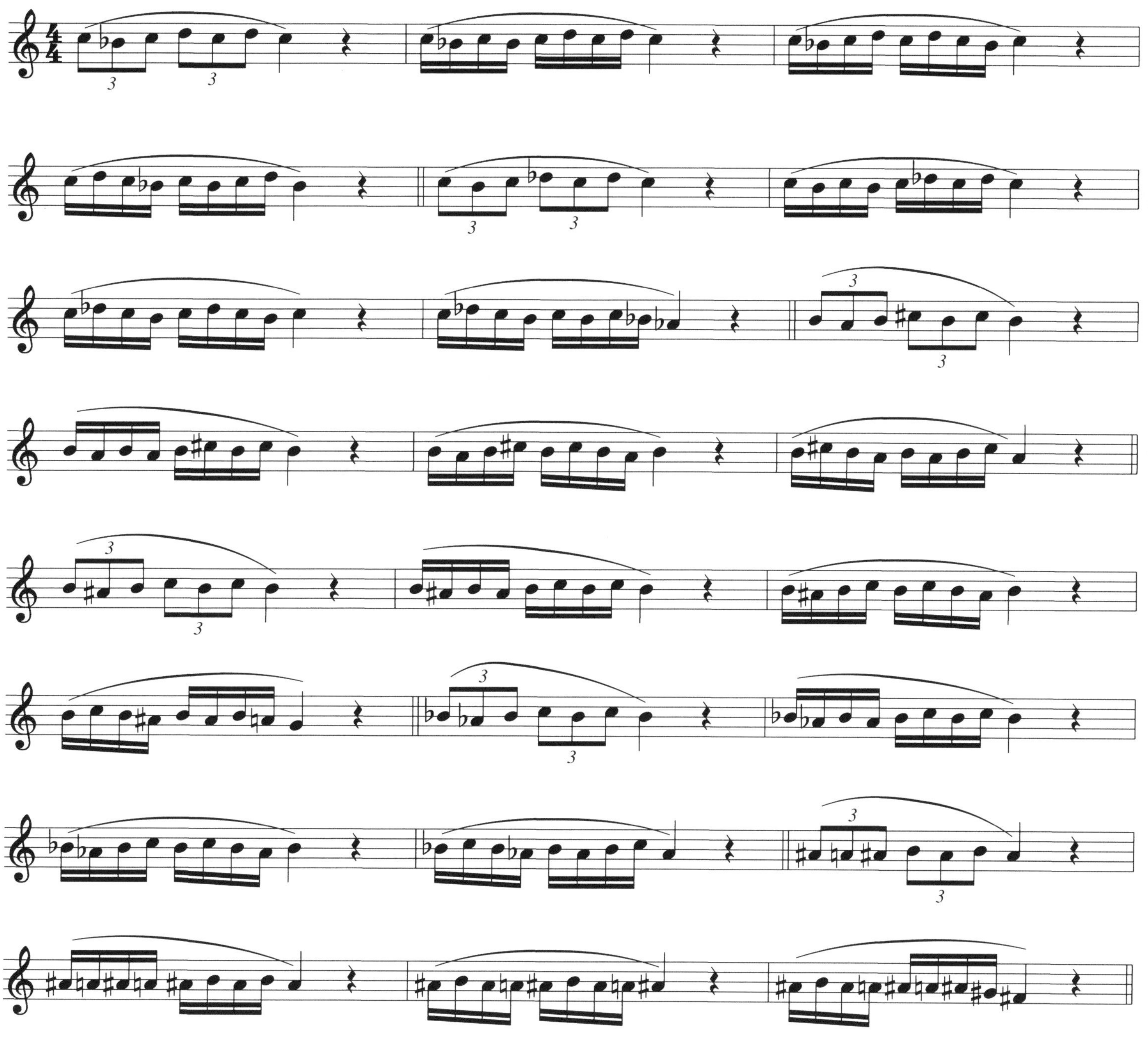

ÜBUNGEN FÜR AUGE UND OHR

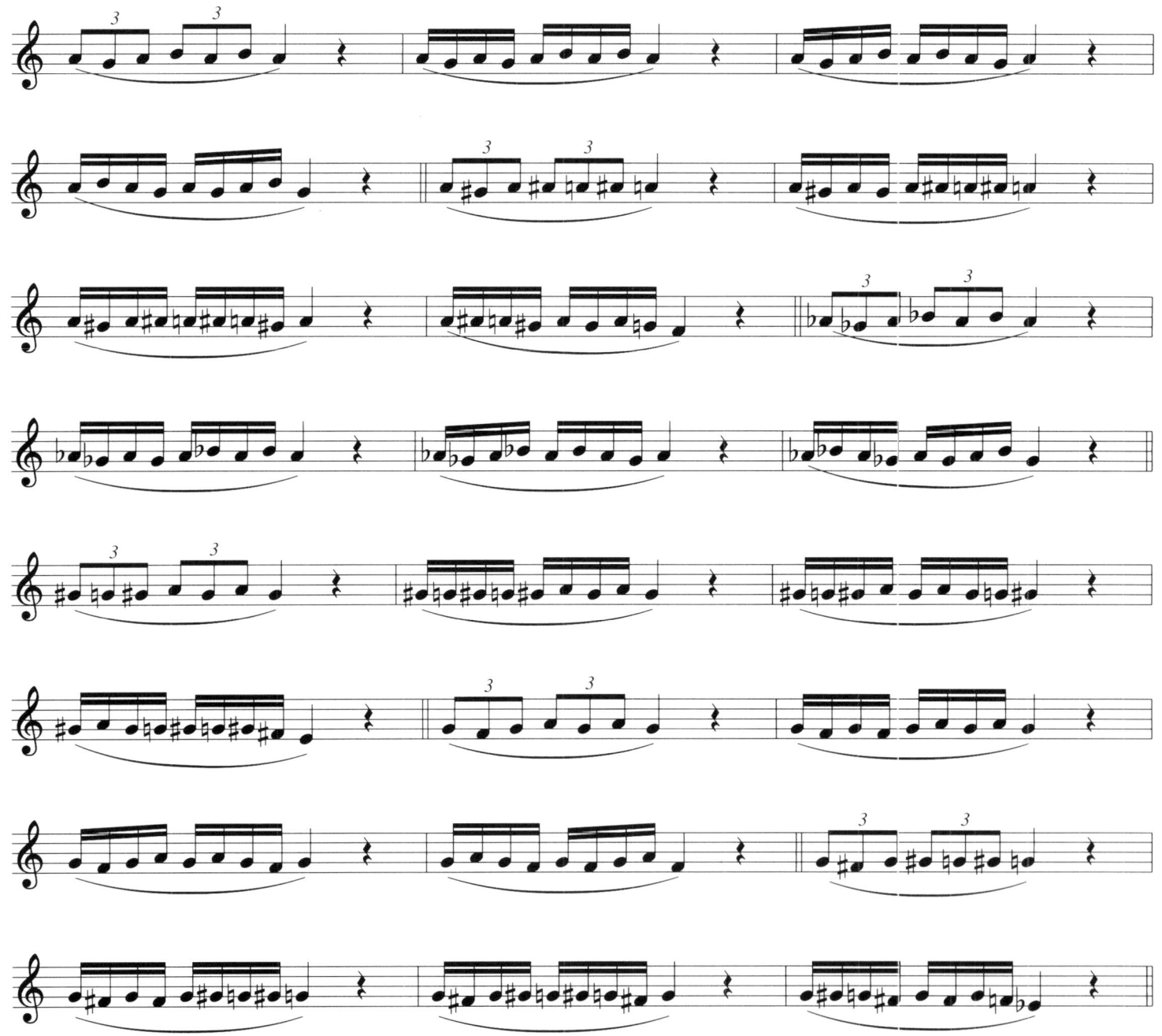

ÜBUNGEN FÜR AUGE UND OHR

Wiederhole die Übung auch 1 und 2 Oktaven höher.

GANZTONLEITERN UND PENTATONIK

CD-TRACK 26-30

GANZTONLEITERN UND PENTATONIK

Spiele die Wiederholung eine Oktave höher.

Spiele die Wiederholung eine Oktave tiefer.

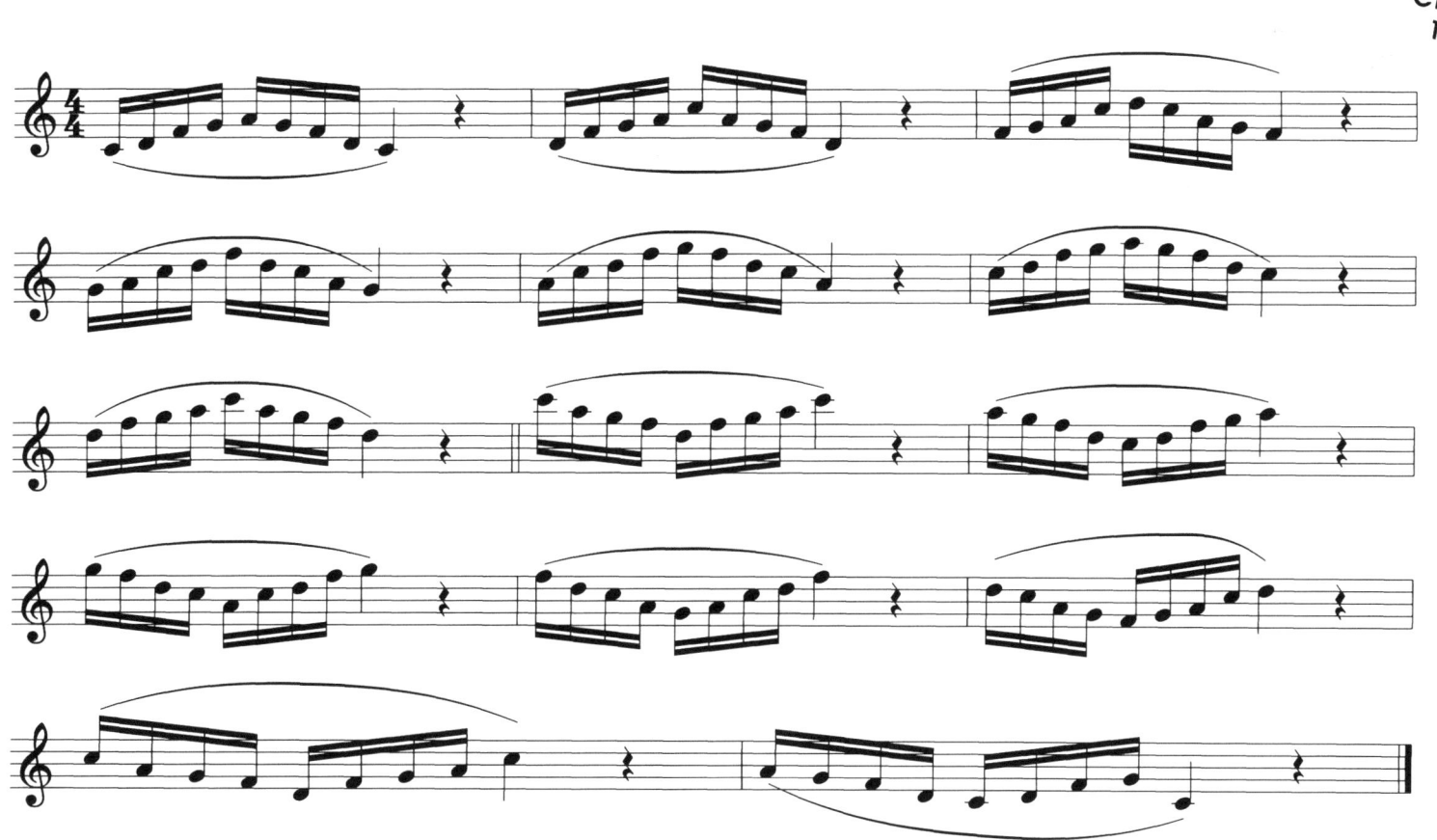

GANZTONLEITERN UND PENTATONIK

CD-TRACK
11-15

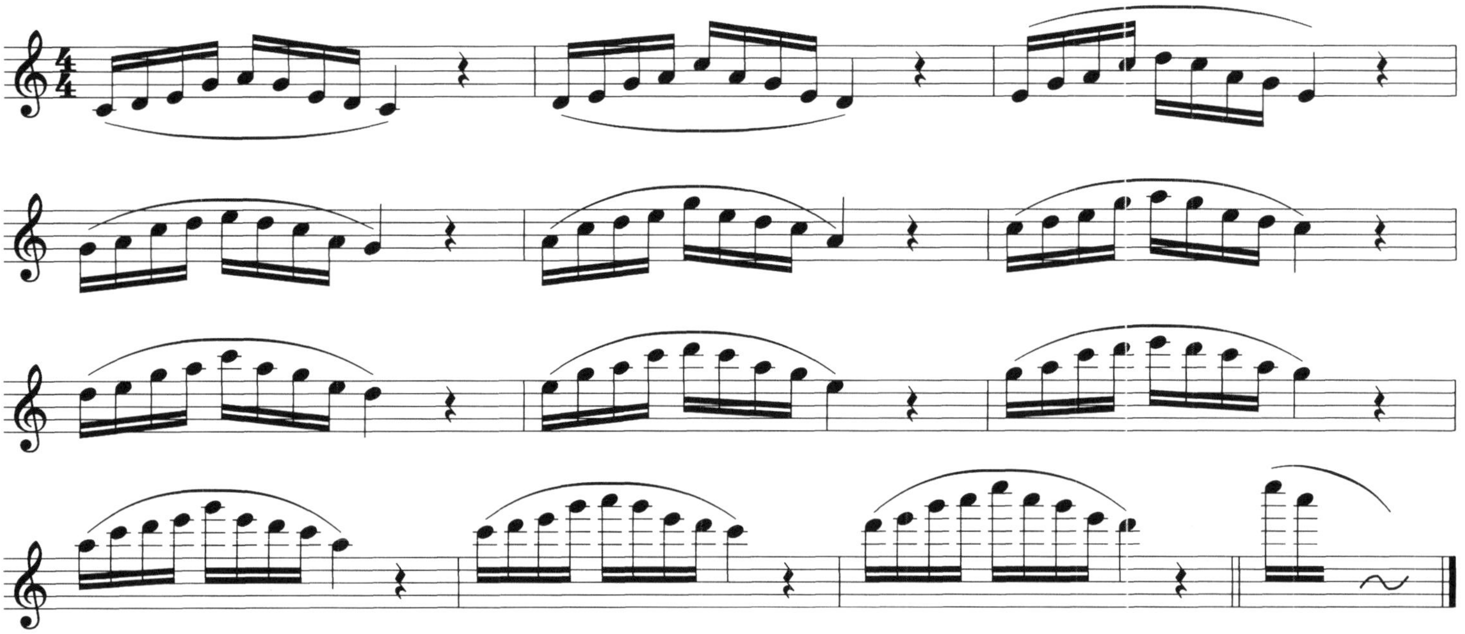

CD-TRACK
11-15

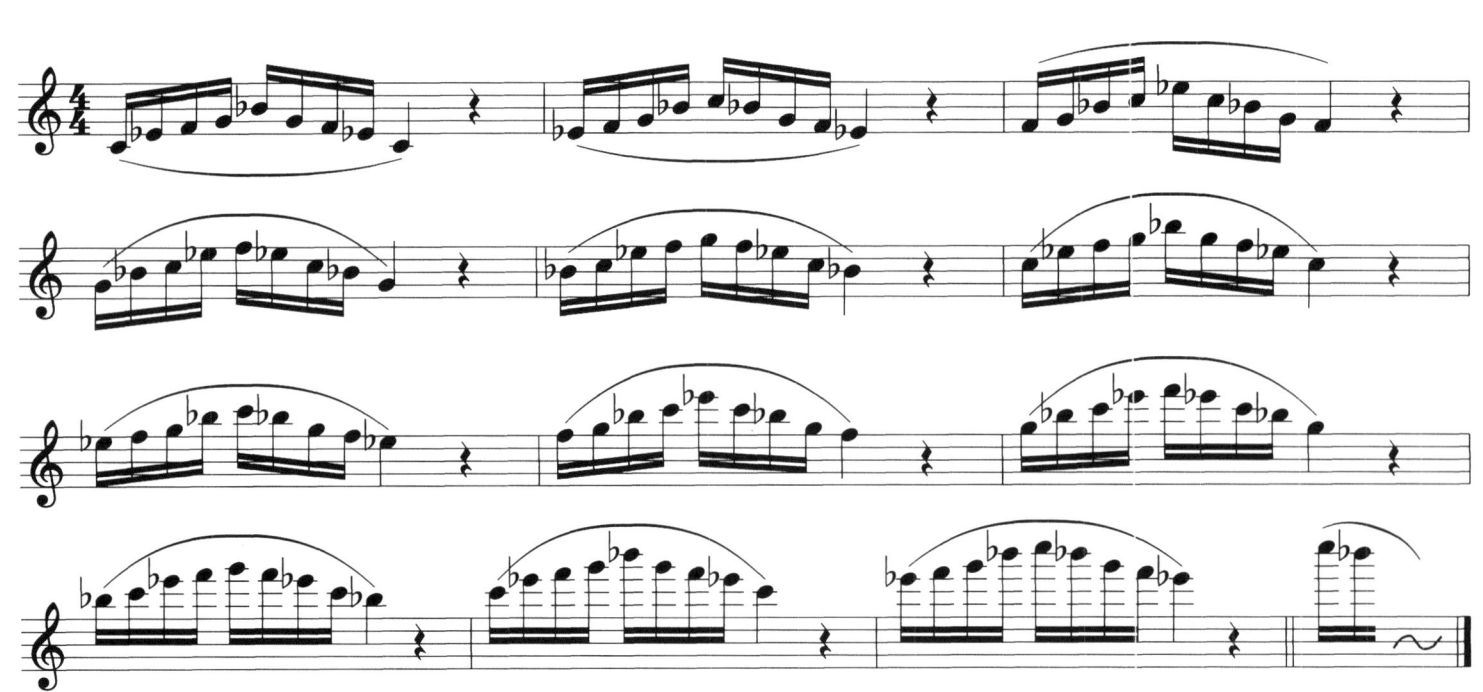

GANZTONLEITERN UND PENTATONIK

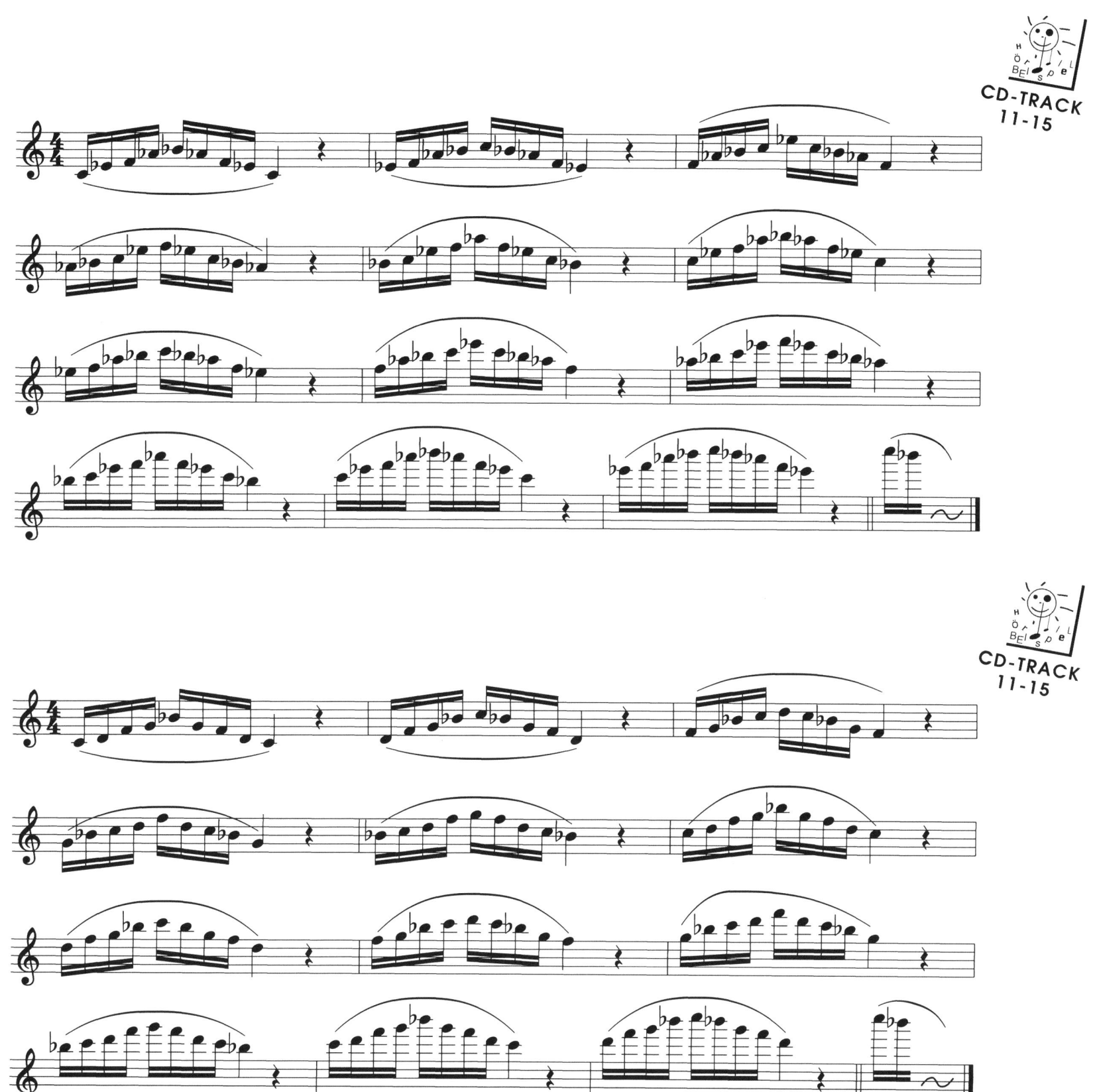

TRILLER

Zum Schluss noch einige Trillerübungen. Sie sind ein wichtiges Element jedes Techniklehrganges und sollten bei deinem Übungsprogramm nicht fehlen.

Übe alle Triller auf beide Arten zuerst langsam. Achte darauf, dass die Fingerbewegung dabei gleichmäßig und rund erfolgt.

Triller ohne Nachschlag

Triller mit Nachschlag

Die Triller c'-des' und cis'-dis' sind spieltechnisch nicht realisierbar.

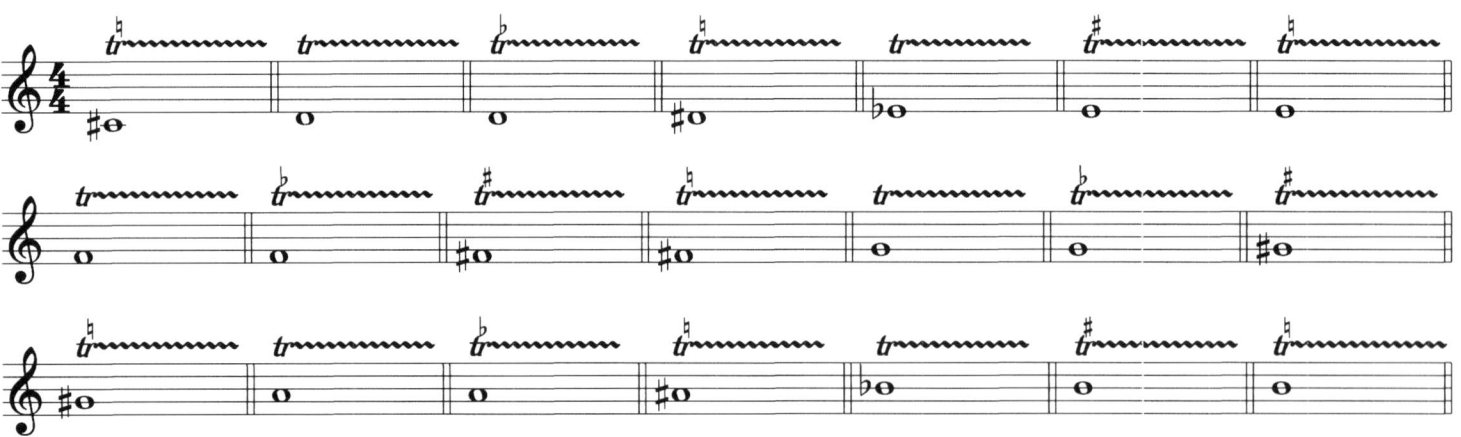

Spiele alle Triller auch eine und zwei Oktaven höher.

Übe auch rhythmisch freie Triller mit Nachschlag. Bleibe aber immer in einem fixen Metrum!

TRILLER

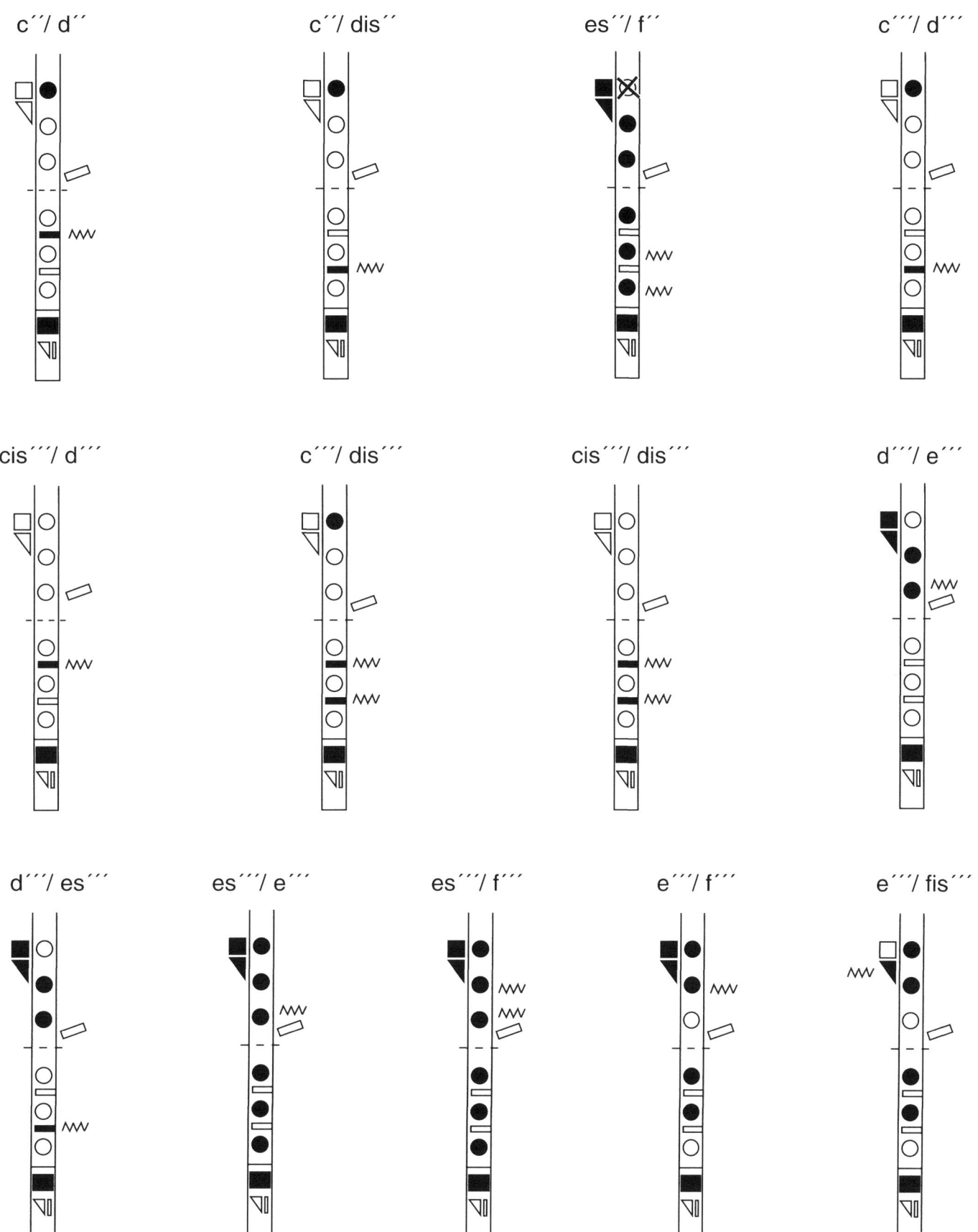

TRILLER

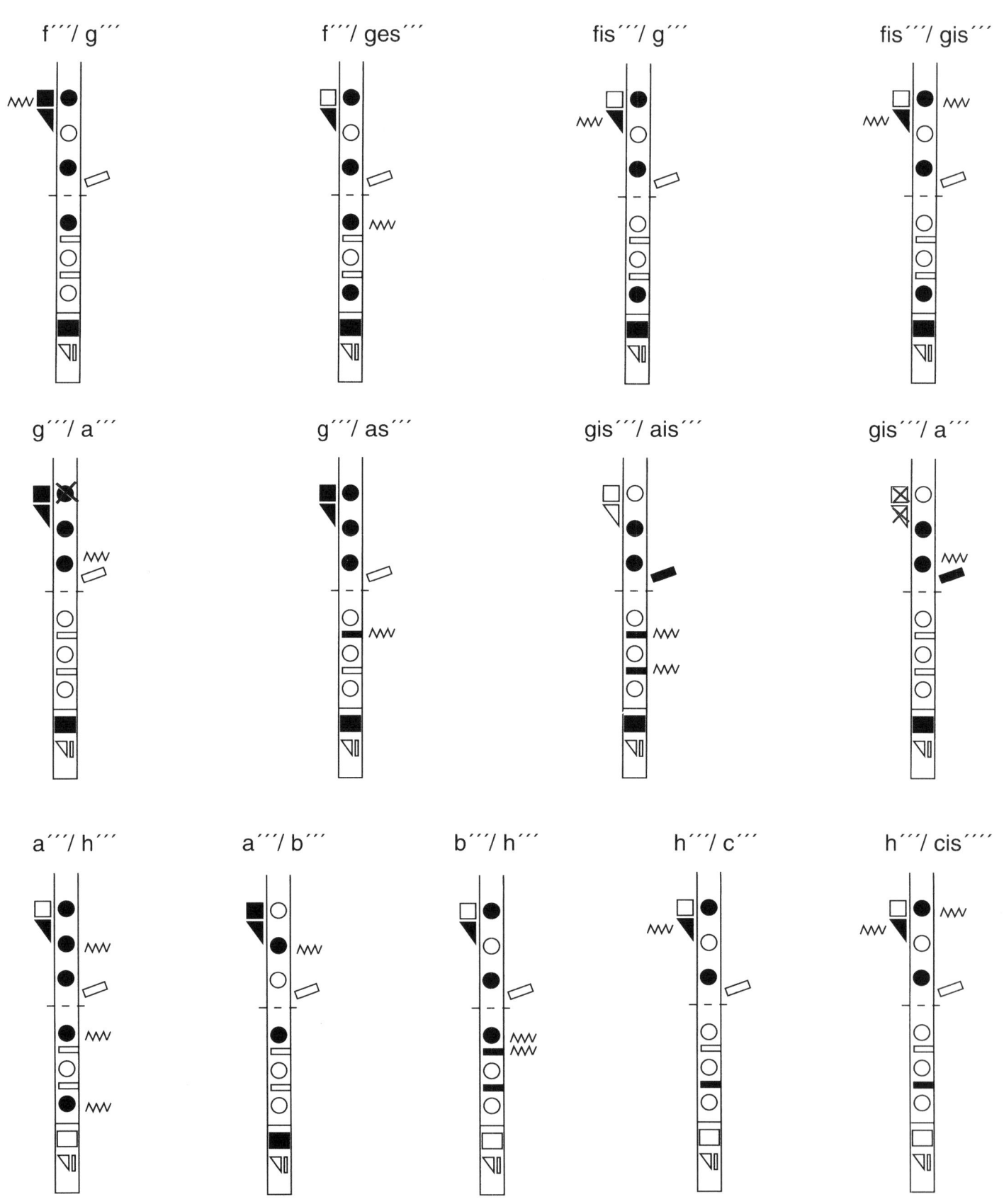

⊠ beim Anspielen schließen, dann öffnen
⊠ beim Anspielen öffnen, dann schließen

■▼ Du kannst wahlweise den B- oder H-Hebel verwenden.